WITHDRAWN

ESPAÑOL A LA VISTA

para AQA

Isabel Alonso de Sudea

OXFORD

OXFORD
UNIVERSITY PRESS

Great Clarendon Street, Oxford OX2 6DP

Oxford University Press is a department of the University of Oxford.
It furthers the University's objective of excellence in research,
scholarship, and education by publishing worldwide in

Oxford   New York

Auckland   Cape Town   Dar es Salaam   Hong Kong   Karachi
Kuala Lumpur   Madrid   Melbourne   Mexico City   Nairobi
New Delhi   Shanghai   Taipei   Toronto

With offices in

Argentina   Austria   Brazil   Chile   Czech Republic   France   Greece
Guatemala   Hungary   Italy   Japan   Poland   Portugal   Singapore
South Korea   Switzerland   Thailand   Turkey   Ukraine   Vietnam

Oxford is a registered trade mark of Oxford University Press
in the UK and in certain other countries

British Library Cataloguing in Publication Data

Data available

ISBN: 978-0-19-912370-4

10 9 8 7 6 5

Typeset in Plantin
Printed in Singapore by KHL Printing Co Pte Ltd

Acknowledgements
The publishers would like to thank the following for permission to use copyright
material:

Agence France Presse pp 44, 80; Allsport p 165; Corel pp 22, 57 (right); Corbis
(UK) pp 39 (5), 57 (left), 58 (bottom left, top right, right, bottom centre), 63, 90
(bottom), 91 (bottom), 124 (top) 127 (bottom right), 132, 134, 138 (top), 164; Nick
Inman p 39 (2); PA Photos p 127; David Simson pp 9, 10, 13, 17, 19 (centre), 28,
32, 33, 37, 56 (2), 58 (top right), 69, 71, 77, 88 (right), 92, 114, 126 (top & bottom),
127 (top left), 128, 141, 150, 158; South American Pictures p 127 (left); Wellcome
Institute p 159.

Additional photography by Isabel Alonso de Sudea.

Illustrations by Martin Aston, Kathy Baxendale,
Kessia Beverley-Smith, Stefan Chabluk, Angela Lumley.

Introduction

Welcome to **Español a la vista para AQA**. This course has been written not only with your examination but with you in mind. The four *módulos* take you systematically through the four topic areas of your GCSE examination, and help you develop your listening, speaking, reading and writing skills to a high level.

You'll have a chance to go over work you've done in earlier years, but you'll also meet new tasks and activities that will challenge you to ensure you're ready for the exam.

Here's a quick guide to the symbols and other features of the book:

    ☊   listen to the cassette/CD with this activity

    👥   work with a partner

    D▯   dictionary work

   page 144▷   go to this page for help with this activity

    ▲   higher level task

    ▼   foundation level task

Gramática   explanation and practice of important grammar points
Mañas   tips on study skills and coursework, and preparing for the exam
Ponte a prueba   practice tests at the end of each *módulo*
The blue boxes contain words and phrases to help you with the tasks.
The yellow boxes contain key questions for role plays and conversation.

At the end of the book is a grammar reference section, a section of additional grammar exercises, and two vocabulary lists – an English–Spanish list of useful words and phrases for each topic, and a Spanish–English list as a quick reference and to complement your dictionary work. There is also a grammar index to help you find information and practice on a particular grammar point.

¡Enhorabuena, ánimo y adelante!

Page	Unit	Topic/Scope	Grammar
Módulo 1 El mundo mío			
6	**1A** ¿Quién soy yo?	Self, family and friends: personal details, alphabet, descriptions of people and animals, jobs	Adjectives of nationality, physical description, *mi padre es* + job
12	**1B** Pasatiempos e intereses	Interests and hobbies: sports, pastimes, weather	*Me gusta* + infinitive/noun, *paso mi tiempo* + present participle
18	**1C** Mi casa	Home and local environment: types of house and location, rooms, own room, advantages/disadvantages of home, descriptions of home and region/town	Adjectives: *es moderno/a, tiene/hay, a la derecha/a la izquierda*, prepositions
24	**Gramática 1A**		Present tense, radical-changing verbs, reflexive verbs, irregular present continuous verbs, *ser* and *estas*
26	**Mañas 1A**	Dictionary skills, pronunciation, preparing for the oral exam	
28	**1D** A diario	Daily routine: weekdays and weekends, meals and mealtimes, pocket money, housework, part-time jobs	Present tense, radical-changing verbs, present continuous reflexive verbs
34	**1E** El cole	School and future plans: comparison of schools, school rules, subjects and opinions on them, plans for the future and school holidays	Verbs of intention + infinitive: *me gustaría, tengo la intención de, espero*, future with *ir a* + infinitive
40	**Gramática 1B**		Future with *ir a* + infinitive, other verbs which take an infinitive
42	**Mañas 1B**	Preparing for your oral presentation, tips on listening and reading	
44	**Ponte a prueba 1**	Exam practice in all four skills	
Módulo 2 De vacaciones y de viaje			
46	**2A** Por la calle	Travel, transport and finding the way: means of transport, buying tickets, getting information, asking for/giving directions, asking for maps, timetables, etc.	Imperatives, comparatives
52	**2B** Averiguamos	Tourism: weather, different types of holiday, asking for information at a tourist office, holiday plans	Present and future tenses
58	**2C** ¿Dónde nos alojamos?	Accommodation: booking into a hotel, hotel facilities and rules, making a complaint	Verbs of obligation: *(no)se puede,(no)se permite, hay que,(no)se debe*
64	**Gramática 2A**		Preterite tense
66	**Mañas 2A**	Learning vocabulary, tips on listening and reading	
68	**2D** ¿Qué quieres tomar?	Holiday activities: ordering a meal/snack, talking about food, making a complaint, telling the story of a bad experience or last day of holiday	pronouns *para mí/ti* etc., *a mí me falta*, preterite tense
74	**2E** Correos y gastos	Services: sending a letter/package/fax, changing money, hiring something, lost property, accidents/breakdowns, common ailments and remedies	Imperative, perfect tense, imperfect and past continuous tenses
80	**Gramática 2B**		Imperfect and past continuous tenses
82	**Mañas 2B**	Writing and setting out a formal letter	
84	**Ponte a prueba 2**	Exam practice in listening and reading	

Page Unit		Topic/Scope	Grammar
Módulo 3 Vivir y trabajar			
86	**3A** Rutinas caseras	Home life: chores, mealtimes and eating habits, birthdays and other celebrations	Past continuous contrasted with preterite (interrupted action)
92	**3B** Una vida sana	Healthy living: comparing healthy and unhealthy lifestyles and diets	Imperative
98	**3C** Empleos	Part-time jobs: different types of jobs, means of transport, work experience, applying for jobs, interviews, answering the phone	Verbs and phrases which take an infinitive: *es importante, tengo que, espero,* imperfect tense
102	**Gramática 3A**		Future and conditional tenses
106	**Mañas 3A**	Preparing coursework: speaking and writing	
108	**3D** ¿Qué quieres hacer?	Leisure time: arranging to meet, weather, invitations, opinions on TV programmes, books and films	Future tense and future with *ir a* + infinitive
114	**3E** De compras	Shopping: spending habits, types of shops, buying clothes/food/souvenirs, changing things, having things repaired	Demonstrative adjectives: *este, esta,* etc., disjunctive pronouns: *es de él/de ella*
120	**Gramática 3B**		Pronouns: reflexive, direct object, indirect object, disjunctive and possessive
122	**Mañas 3B**	Checking and completing coursework assignments in speaking and writing	
124	**Ponte a prueba 3**	Exam practice in listening, reading and writing	
Módulo 4 Nosotros los jóvenes			
126	**4A** Es mi vida	Character and personal relationships: personal qualities, friendship, family relationships and problems	Adjective agreement, expressing opinions with *prefiero/ es importante/lo bueno/lo malo es …*
132	**4B** Mi barrio	The environment: advantages and disadvantages of area, local and global pollution and conservation issues	*Lo que me gusta/importa es …* negative commands, obligations in future/conditional: *habrá que, deberíamos/tendremos que …*
138	**4C** La vida escolar	Education issues: comparison between countries, equal opportunities, the ideal school, rules and rights, bullying, progress in studies	Conditional tense
144	**Gramática 4A**		Perfect and pluperfect tenses
146	**Mañas 4A**	Preparing for the final exam: tips on vocabulary, listening, role play, reading and writing	
148	**4D** ¿Qué me espera?	Careers and future plans: preferred jobs, travel plans, marriage/family, lifestyles of the future	Future tense and verbs of intention
154	**4E** ¿Qué escojo?	Choices and responsibilities: fashions, influence of advertising, legal ages, smoking, drugs, alcohol, social issues	Present tense
160	**Gramática 4B**		Imperative, present subjunctive
162	**Mañas 4B**	How to cope in the final exam: tips on all four skills	
164	**Ponte a prueba 4**	Exam practice in all four skills	
166	**Grammar reference**		
182	**Verb tables**		
187	**Grammar practice**		
199	**English–Spanish vocabulary**		
207	**Spanish–English vocabulary**		
220	**Maps**		
222	**Grammar index**		

1A ¿Quién soy yo?

1 ⌒ ¿Cómo te llamas?

a Escucha y lee.

¡Hola! Me llamo Guillermo Sánchez. Soy canario y vivo en Santa Cruz de Tenerife. Tengo diecisiete años y me encanta el mar. Cumplo años el veintiocho de junio.

**Guillermo,
Islas Canarias**

¡Hola! Me llamo Elena García. Soy española y vivo en Madrid. Tengo quince años y me gustan todos los deportes.

**Elena,
España**

b Escucha, copia y completa.

¡Hola! Me _llamo_ Pilar Rodríguez. _Soy_ mallorquina y _vivo_ cerca de Palma. _Tengo_ catorce años y me _gustan_ los animales. Mi cumpleaños es el quince de mayo.

**Pilar,
Islas Baleares**

¡Hola! Me llamo Alejandro Henríquez. Soy _Columbiano_ y vivo en _Bogota_. Tengo _16_ años y soy muy entusiasta de la _____.

**Alejandro,
Colombia**

2 👥 ¿Cómo se escribe?

¡Deletréalo! Pregunta y contesta.

Tu nombre
Tu apellido
Tu colegio
Tu ciudad
Tu calle

Buenas tardes. ¿Cómo se escribe tu nombre?

A-l-e-j-a-n-d-r-o.

3 🄳 ¿Soy así?

a Busca una palabra contraria.

reservado/a   perezoso/a

simpático/a

agradable   extrovertido/a

bueno/a

antipático/a   malo/a

sociable   alegre

trabajador(a)

tímido/a

desagradable

triste

b Tú, ¿cómo eres? ¿Y tu nacionalidad?
Escoge tres palabras para describirte.
Soy …

masculino	femenino
simpático	simpática
español	española
mallorquín	mallorquina
inglés	inglesa
irlandés	irlandesa
galés	galesa
escocés	escocesa

4 👥 ¡Hola!

Practica el diálogo. Inventa otros ejemplos.

¡Hola! Buenos días.

Buenos días. ¿Cómo estás?

Bien, gracias. Y tú, ¿qué tal?

Bien, más o menos.

¿Cuál es tu apellido?

García.

¿Y tu nombre?

Elena.

¿Cómo se escribe?

E-l-e-n-a.

¿De dónde eres?

Soy de Madrid.

¿Cuál es tu teléfono?

Es el 91 532 27 69.

Vale. Gracias.

Hasta luego.

Adiós.

5 👥 Tu ficha personal

Pregunta y contesta. Copia y completa la
ficha para tu compañero/a.

Ejemplo: ¿Cuál es tu apellido?

Apellido

Nombre

Dirección

Teléfono

Edad

Cumpleaños

Nacionalidad

Te presento a …

1 🎧 Mi familia

a Escucha y lee.

Aquí está mi familia. Mis abuelos viven cerca. Mis padres se llaman Octavio y Rita y son simpáticos. Mis dos hermanos son Juan Pablo, que tiene diez años y es gracioso, y Sebastián, el menor. Sólo tiene cinco años y es bastante tímido. Yo soy el mayor, claro, y soy alegre y extrovertido. Mira mi perro – se llama Lisi.

Alejandro

b Escucha y rellena la tabla.

	nombre	hermano(s)	edad(es)	hermana(s)	edad(es)
Ejemplo:	Alejandro	2	10, 5	0	–

c Escucha e identifica la familia: ¿A, B o C?

d Escoge la respuesta apropiada.

1 En la familia de Elena hay cinco/ocho/seis personas.

2 Elena es hija única/tiene hermanos gemelos/tiene hermanas gemelas.

3 Pilar vive con sus abuelos/tíos/padres.

4 Pilar es la mayor/la menor/la mediana de sus hermanos.

5 Guillermo tiene un hermano/una hermana/dos hermanas.

6 Guillermo es el menor/el mayor/hijo único.

e 👥 Imagina que eres Elena, Pilar o Guillermo. Describe a tu familia. Tu compañero/a adivina quién eres.

f Escribe una descripción de tu familia.

▼ Sigue el ejemplo de Alejandro.
▲ Añade otros detalles.

madre	padre
madrastra	padrastro
abuela	abuelo
tía	tío
hermana	hermano
hermanastra	hermanastro
gemelas	gemelos
prima	primo
nieta	nieto

2 ¿Qué hacen?

¿En qué trabajan? Lee los ejemplos y escribe unas frases.

Mi madre es enfermera.

Mi padre es taxista.

secretaria

empleado/a

abogado/a

basurero/a

policía

cocinero/a

Mi tío	es	programador	ingeniero	camarero
Mi tía		dependiente	médica	contable
	está	en paro	jubilado/a *retired*	
Trabaja	en	una oficina	una tienda	un almacén
		una fábrica	un banco	un hospital
	por su cuenta			
	para una compañía que se llama …			
(No) le gusta	porque	es	interesante	fácil
			aburrido	duro
		paga bien/mal		

3 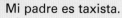 A ti te toca

Pregunta y contesta.

¿Cuántas personas hay en tu familia?

¿Cómo se llaman tus padres?

¿Tienes hermanos o hermanas?

¿Cuántos años tienen?

¿Cómo son?

¿En qué trabajan tus padres?

¿Les gusta su trabajo? ¿Por qué/por qué no?

Mis amigos

1 ¿Cómo eres?

a Lee. ¿Quién es?

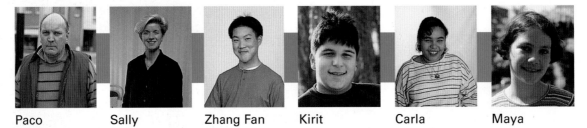

Paco   Sally   Zhang Fan   Kirit   Carla   Maya

> ¡Hola! Soy colombiano. Tengo una cara grande.
> Tengo el pelo gris, los ojos negros y la nariz larga.

b ∩ Escucha y rellena la tabla. Luego identifica las fotos.

	Número	Pelo	Cara	Nariz	Ojos	Carácter	Nombre
Ejemplo:	1	negro	redonda	pequeña	grandes	deportista	?

2 ∩ Os presento a …

a Escucha y lee.

> *Mi amigo también es compañero de clase.*
> *Le encanta el deporte y siempre practica el*
> *baloncesto durante el recreo. Se llama Alberto;*
> *mide 1,80; tiene el pelo rubio bastante rizado. Es*
> *bastante serio cuando estudia pero después de las*
> *clases es bromista y cómico.*

b Di si la frase es verdad o mentira. Corrige
las frases incorrectas.

1 Alberto es bajo.
2 Le gusta el deporte.
3 No hace nada durante el recreo.
4 Tiene el pelo negro.

3 ∩ Mis animales

Escucha y rellena la tabla.

	Animal	Color	Tamaño	Otros detalles
Ejemplo:	perro	gris	grande	bonito

un gato	un perro	un caballo
unos peces tropicales		unos pájaros
una cabra	una culebra	

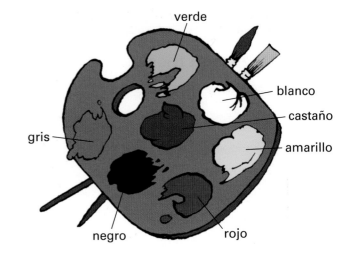

verde

blanco

castaño

amarillo

gris

negro

rojo

4 Tu signo diferente

a ¡Mira este horóscopo distinto!

Busca tu año de nacimiento.
¿Qué animal te corresponde?

b ¿Cómo eres? ¿Es verdad o
mentira? ¿Qué opinas?

c Escribe una lista de tus
cualidades.

Ejemplo: Soy serpiente.
La serpiente es …

d 👥 ¿Y los otros
miembros de tu familia?
Pregunta y contesta.

¿Tu hermano, qué signo es?
Es caballo.
¿Te llevas bien con él?
Sí, porque es …
¿Con quién no te llevas bien?
No me llevo bien con mi … porque es …

e 🎧 Escucha el cuento chino.

▼ Anota los animales que menciona.
👥 ▲ Explica el cuento a tu
compañero/a en inglés.

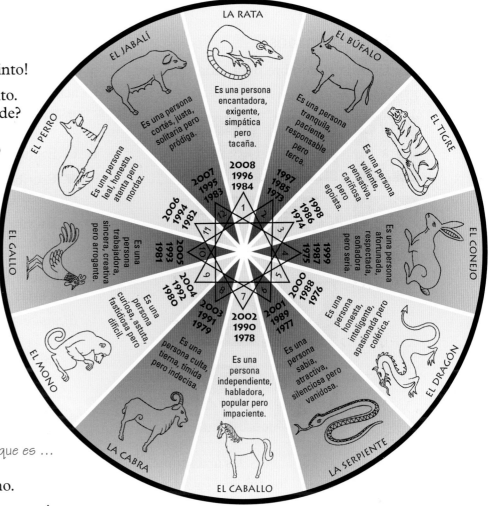

LA RATA
Es una persona encantadora, exigente, simpática pero tacaña.
2008 1996 1984

EL JABALÍ
Es una persona cortés, justa, solitaria pero pródiga.
2007 1995 1983

EL BÚFALO
Es una persona tranquila, paciente, responsable pero terca.
1997 1985 1973

EL PERRO
Es una persona leal, honesta, atenta pero mordaz.
2006 1994 1982

EL TIGRE
Es una persona valiente, pensativa, cariñosa pero egoísta.
1998 1986 1974

EL GALLO
Es una persona trabajadora, sincera, creativa pero arrogante.
2005 1993 1981

EL CONEJO
Es una persona afortunada, respetada, soñadora pero seria.
1999 1987 1975

EL MONO
Es una persona curiosa, astuta, fastidiosa pero difícil.
2004 1992 1980

EL DRAGÓN
Es una persona honesta, inteligente, apasionada pero colérica.
2000 1988 1976

LA CABRA
Es una persona culta, tierna, tímida pero indecisa.
2003 1991 1979

EL CABALLO
Es una persona independiente, habladora, popular pero impaciente.
2002 1990 1978

LA SERPIENTE
Es una persona sabia, atractiva, silenciosa pero vanidosa.
2001 1989 1977

5 Describe a tu mejor amigo/a

▼ Sigue el ejemplo en el ejercicio 2.
▲ Añade otros detalles.

Soy	(bastante)	alto/a	delgado/a	serio/a	
Eres	(muy)	bajo/a	gordo/a		
Es		mediano/a	bonito/a	paciente	
Tengo	el pelo	castaño	largo/corto	y los ojos	marrones
Tienes		rubio	rizado		azules
Tiene		negro	liso		verdes
	la nariz	pequeña			
	la boca	bonita			

Pasatiempos e intereses

1 Mis pasatiempos

a [image] Escribe el nombre para cada símbolo.

Ejemplo: 1 = el baile

la música	las artesanías
los sellos	
el judo	
las cartas	
la pesca	el ajedrez
el baile	
la fotografía	los caballos

b ○ Escucha. Elena, Alejandro, Guillermo y Pilar hablan sobre sus intereses. Haz una lista para cada persona.

Ejemplo: Elena = 1, 5 ...

c 👥 Pregunta y contesta.

Ejemplo:

¿Te gusta el baile?

Sí, me gusta el baile.

¿Qué le gusta a Guillermo?

Le gusta la fotografía.

2 ¿Qué se puede hacer?

a ○ Escucha. Escribe el nombre de cada actividad.

Ejemplo: 1 = el surf, el monopatín, la disco

b ○ Escucha otra vez.

▼ Escribe el nombre de la persona.
Ejemplo: 1 = Luís

▲ Escribe una frase.
Ejemplo: A Luís le gusta practicar surf.

c 👥 Mira los dibujos.
Haz unas preguntas a tu compañero/a.

Ejemplo:

¿Qué te gusta hacer? La biblioteca.

Me gusta leer.

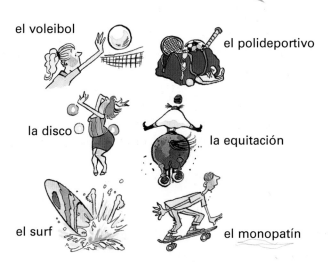

el voleibol
el polideportivo
la disco
la equitación
el surf
el monopatín

Me	gusta	leer	libros/revistas/comics
Te		escuchar	CDs/música
Le		jugar	al fútbol/al tenis
Nos		ver	la tele
Os		tocar	la guitarra
Les		ir	al cine/a la disco/ a la bolera/a la biblioteca
		practicar	el surf/la equitación
		hacer	el monopatín

3 Diversión pasiva

a Mira los resultados de una encuesta.

¿Cómo pasas tu tiempo?

Paso horas viendo la tele.

Paso dos horas como mínimo jugando con mi ordenador.

Prefiero pasar mi tiempo viendo vídeos que charlando por teléfono.

¡Puedo hacer dos cosas al mismo tiempo! Paso la noche leyendo y escuchando música.

jugando 10%
leyendo 20%
ordenador 10%
revistas 12%
libros 5%
vídeo 12%
comics 3%
otra 3%
viendo 37%
tele 25%
música pop 30%
escuchando 33%

b ▼ Indica si las frases son correctas o no.
▲ Corrige las incorrectas.

1 Los jóvenes pasan más tiempo escuchando música pop que jugando con el ordenador.
2 Ven más vídeos que televisión.
3 Leen menos revistas que libros.
4 Pasan menos tiempo leyendo comics que escuchando otra clase de música.

c 👥 Pregunta y contesta.

¿Cuánto tiempo pasan viendo la tele/...?

¿Qué prefieren leer/...?

¿Qué hacen más/menos de todas las actividades?

		-ar -ando	-er/-ir -iendo
Paso	mi tiempo	hablando jugando tocando	comiendo viendo saliendo leyendo durmiendo

4 Sondeo

¿Qué deporte os gusta más?

Pregunta a cinco chicos y a cinco chicas. Presenta los resultados en forma gráfica. ¿Qué prefieren las chicas?

el tenis   el golf

el karate

el atletismo

el bádminton   la natación

el esquí

5 A ti te toca

¿Qué deporte prefieres? ¿Cuándo lo practicas? Escribe unas frases.

L por la mañana
por la tarde
por la noche
J después de las clases
M
V
durante la semana
M
S el sábado
D el domingo   el fin de semana

Te invito

1 Una llamada

a 🎧 Escucha y lee.

Diga.

Oiga, soy yo, Margarita.

¡Hola! ¿Qué quieres?

No sé, estoy aburrida.

Bueno, ¿vamos a salir?

¿Adónde?

Me gustaría ir a comer.

Imposible. No tengo dinero.

¿Vamos a la piscina municipal? Es gratis hoy.

No, no tengo ganas.

¡Caramba, qué difícil eres! ¿Te gustaría dar un paseo?

¡Sí, buena idea! Enseguida voy.

b 👥 Practica el diálogo, luego inventa otros diálogos.
Graba un diálogo en un casete.

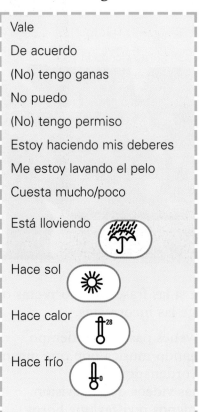

Vale

De acuerdo

(No) tengo ganas

No puedo

(No) tengo permiso

Estoy haciendo mis deberes

Me estoy lavando el pelo

Cuesta mucho/poco

Está lloviendo

Hace sol

Hace calor

Hace frío

2 Diversión activa

a Lee la información en la página 15.

b Contesta a las preguntas.

1 ¿Hay que pagar por las actividades?

2 ¿Qué tipo de películas se pueden ver?

3 ¿Cuántas horas se puede bailar?

4 ¿Cuándo se puede hacer monociclismo?

5 ¿Dónde se va para hacer origami?

6 ¿Se puede ver una película a las 8:30 de la noche?

7 Si tengo 10 años, ¿puedo ir al Cine Club?

8 ¿Cuántas personas pueden hacer el monociclismo?

9 ¿A qué hora hay clases de cerámica?

10 ¿Cuántos años hay que tener para hacer el monociclismo?

¿Cómo va tu equilibrio?

Aprende a hacer monociclismo

mayor de 12 años

lunes miércoles viernes 9h–11h únicamente

(No más de 5 por grupo)

Centro Social Juvenil

Venid a divertiros – ¡gratis!

¿Tienes talento artístico?

Origami/máscaras/gigantes y cabezudos

Maquillaje

Cerámica/joyería

Fotografía

Horas flexibles en el Centro Cívico

Gran Disco
fin de curso
21h–2h

Cine Club

19:30 y 22:00

Comedias para todo el mundo

3   ¿Cuándo y a qué hora?

a 🎧 Escucha los mensajes. ¿A cuál invitación corresponden?

martes 13   Romería - encontrarse en la Plaza de España 10h00

b 🎧 ▲ Escucha otra vez y corrige los errores.

c   Mira la información de arriba y escribe una invitación.
▼ Sigue uno de los ejemplos.
▲ Inventa tu propia invitación.

Te invito a_____ a una fiesta
para celebrar mi cumpleaños
El día 12 a las 17h00.
Vamos a patinar sobre el hielo primero,
después a tomar té en la cafetería.
C.p.f

21 junio
Noche de San Juan
Fogata y barbacoa - Casa de los Buendía 21h00
Miguel no estará - ¡qué pesar!

El ocio

1 En mis horas libres

Completa las frases con la(s) palabra(s) más adecuada(s) de la casilla.

1 Voy al cine para ver _____ buena.
2 Voy a _____ para comer con mi familia.
3 Voy a la biblioteca para _____ y buscar información.
4 Voy a la piscina para las clases de _____.
5 Voy al _____ para ver un partido de fútbol.

6 Me gusta practicar _____ porque me mantiene en forma y es saludable.
7 Me gusta _____ porque me ayuda a relajar.
8 Me gusta coleccionar sellos porque es _____.
9 Me gusta jugar al _____ porque me hace pensar más.
10 Me gusta ir a fiestas para _____ a nueva gente.

un restaurante	ajedrez
conocer pescar	interesante
estadio natación	
leer deporte	una película

2 👥 ¿Por qué?

Pregunta y contesta.

Ejemplo:

¿Por qué vas al cine?

Porque es divertido.

¿Por qué	vas	al cine/a la piscina/al teatro?
	te gusta	el deporte/la fotografía?
	tocas	la guitarra/el piano?
	juegas	al tenis/al fútbol/a cartas?
	practicas	el judo?
	coleccionas	sellos?
	montas	a caballo?
Porque	es	interesante/entretenido/diferente/algo nuevo
Para		conocer a gente/aprender/relajar/adelgazar/mantenerme en forma

3 🎧 Ejercicio vital

Escucha. Copia y rellena la tabla.

	¿Qué hago?	¿Dónde?	¿Cada cuánto?
Ejemplo:	nadar	piscina	2 veces a la semana

cada día	una vez a la semana
una vez al día	

4 Amigos por internet

a Lee el e-mail.

> ¡Hola! Tengo catorce años. Soy Tauro y cumplo años el quince de mayo. Y tú, ¿qué signo eres? A mí me gustan todos los deportes. ¿A ti te gustan? También me encantan los animales. Tengo una cabra que se llama Trudi. ¿Tienes un animal en casa?
> Paso horas escuchando música y bailando. Tú, ¿qué haces? ¿Cómo pasas tu tiempo libre?
> No me gusta mucho el cine ni la tele. ¿A ti te gustan?
> Yo creo que soy bastante tímida. Tú, ¿cómo eres?
> Contéstame pronto.
>
> Tu amiga Pilar

b Lee el e-mail y complétalo con palabras de la casilla.

| coleccionar eres extrovertido gusta |
| gustan guitarra paso voy |

> ¿Qué tal?
> Quiero saber si tocas un instrumento porque yo _____ horas tocando la _____. Soy fanático del Barça y siempre _____ al Nou Camp – el estadio de fútbol – cuando estoy en Barcelona. ¿Eres fan de un equipo? ¿Qué deportes te _____? No me gusta _____ cosas como los sellos. ¿Qué no te _____ a ti?
> Creo que soy bastante _____. Tú, ¿cómo _____?
> Hasta pronto.
>
> Tu amigo Rafa (Rafael)

c 👥 Pregunta y contesta.

1 ¿Cómo es Pilar/Rafa?
2 ¿Qué signo es Pilar?
3 ¿Qué deporte hace?
4 ¿Cómo pasa su tiempo libre?
5 ¿Cuál es su pasatiempo favorito?
6 ¿Tiene un animal?
7 ¿Qué no le gusta?

d Escribe un e-mail a Pilar o a Rafa contestando a sus preguntas.

5 Encuesta

Pregunta a tus amigos y a tus compañeros. Presenta los resultados a la clase.

> ¿Cuál es tu pasatiempo preferido?
> ¿Por qué?
> ¿Cuándo lo haces?
> ¿Cuántas veces a la semana?
> ¿Cuánto tiempo pasas haciéndolo?
> ¿Dónde lo haces?
> ¿Qué otra cosa te gustaría hacer?

Mi casa

1 Donde vivo yo

a 🎧 Elena habla de su apartamento en Madrid. Escucha y lee.

El apartamento nuestro es muy moderno. Está situado en el último piso en un edificio. Hay un balcón amplio que tiene una vista espectacular de la ciudad. Hay un garaje en el sótano. Adentro tiene de todo: cocina moderna integral, dos cuartos de baño, sala y comedor separados y tres habitaciones. Tenemos calefacción central. Hay un jardín comunal pero es pequeño y no se permite jugar en el césped.

b 🎧 Escucha a Alejandro y rellena los espacios.

Vivimos en una 1 _Casa_ bonita. Es 2 _Construi_, estilo colonial. Pertenece a mis bisabuelos. Hay 3 _ventanas_ de madera con flores y tiene 4 _balcones_ delante y detrás. El 5 _techo_ es de tejas rojas. Tenemos un 6 _garaje_ grande al lado. En las 7 _jardi_ hay rejas de hierro por seguridad. Tiene dos 8 _pisos_. Está 9 _____ en ladrillo. Está situada en las afueras de la 10 _ciudad_. Me gusta porque es tranquila.

balcones pisos casa ciudad antigua
techo ventanas construida jardines
garaje

c Pon las palabras en el orden correcto.

1 Es mi moderna casa blanca y.
2 Cerca la está ciudad de centro del.
3 Pequeña una tiene terraza detrás.
4 Comedor tiene sala integral.
5 Vacaciones parece de casa.

Vivo en	un apartamento/piso	en el centro de la ciudad
	una casa	en un barrio nuevo
	una finca	en las afueras
Es	moderno/a antiguo/a	grande pequeño/a
	amplio/a cómodo/a	bonito/a
Tiene/Hay	una sala un comedor	una cocina X habitaciones
un cuarto de baño	un jardín	un balcón una terraza

Mi dirección es calle Italia 31, 2º izq Madrid 28035.

Mi casa está a media hora del centro en bus.

En el sótano/en la planta baja/en el primer piso/en el segundo piso/ en el tercer piso ...

2 Anuncios – se alquilan

A Apto mod con 3 dorm. 1 baño. w.c. sep. cocina integ. sala/comedor. balcón grande. ascensor. lavadero. a 5 min del centro en bus.

B Casa adosada. 4 dorm + servicio. 2 baños. cal cent. comedor. salón. jardín tras/del. 200m de largo. cocina grande. garaje. sótano. en las afueras a ½ hra en metro.

C Casa de campo estilo viejo con chimenea y cal electr. sala grande. comedor. cocina. 5 dormitorios. piscina. jardín grande. a 1 hra de la ciudad en coche.

a ¿Qué facilidades tiene la casa A?

b Describe una de las casas.

Ejemplo: Es un apartamento moderno …

3 Te presento mi casa

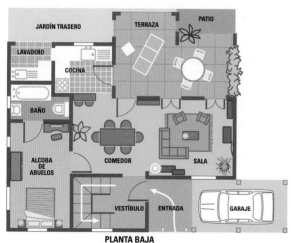

PLANTA BAJA

PRIMERA PLANTA

a 🎧 Escucha y sigue al guía. Anota el nombre del cuarto donde estás.

sigue todo recto	al final del pasillo
arriba/abajo	para ir a
a la derecha	hay que pasar por/subir/bajar
a la izquierda	delante/detrás

b 👥 ¿Dónde estoy? Juega con tu compañero/a.

▼ *Ejemplo:* Estoy en la cocina.

Estás en la planta baja.

▲ *Ejemplo:* Estoy entre la alcoba de mis abuelos y el lavadero.

Estás en el baño.

19

Mi habitación

1 ∩ Muebles

Escucha el ejercicio 3 (p.19) otra vez.
Escribe los muebles en el orden en que
se mencionan.

Ejemplo: 10, …

1 la silla
2 la nevera
3 el estéreo
4 la mesa
5 el sillón
6 el escritorio
7 la cocina
8 el armario
9 el lavaplatos
10 el sofá
11 la cama
12 el bufet
13 la mesita de noche

A

B

2 Mi habitación/tu habitación

a 👥 ¿Verdadero o falso?

> La habitación A tiene una silla./En la
> habitación A hay dos sillas.

> Falso.

Pregunta y contesta.

> ¿Dónde está el armario? – habitación A.

> Está detrás de la mesita.

debajo	del/de la
encima	
al lado	
detrás	
delante	
enfrente	
junto	al/a la
entre	
sobre	

b Compara las habitaciones.

La habitación mía ...   La habitación tuya ...
La mía ...   La tuya ...

Es	más/menos ...	que
Tiene		
Hay		

▼ Busca cinco diferencias.

Ejemplo: una silla, dos sillas.

▲ Escribe una descripción comparativa.

Ejemplo: La mía es más grande que
la tuya.

3 ▮ Pregunta y dibuja

Pregunta a tu compañero/a sobre su casa
y dibújala.

¿Vives en una casa o en un
apartamento/piso?

¿Cómo es?

¿Tiene jardín?

¿Cuántas habitaciones tiene?

¿Cuáles son?

¿Qué hay en la planta baja?

¿Tienes una habitación grande o
pequeña?

¿Compartes con tus hermanos o es para
ti solo?

¿Qué muebles tienes? ¿Un armario/una
cama (litera)/una mesita de noche?

¿Qué más tienes? ¿Un ordenador/un
televisor/un sofá?

¿De qué color es?

¿Te gusta? ¿Por qué? ¿Por qué no?

4 Un poco de imaginación

a Describe tu habitación o tu casa ideal.
Graba tu descripción.

b Dibuja tu habitación/casa ideal a mano
libre o con el ordenador.

5 A ti te toca

¿Qué haces en... la cocina, el patio, el
dormitorio, el garaje, la sala, el baño?
Escribe unas frases.

Donde vivo yo

1 Mi barrio

a ∩ Escucha e identifica la foto. Busca el lugar en un mapa.

A Sevilla

D Barcelona

B Barranquilla

E Sitges

C Lago de Titicaca

b Indica lo que hay en cada lugar.

c Escoge la respuesta correcta.

1 Sevilla está en el norte/este/sur de España.

2 La Giralda es un río/parque/monumento en Sevilla.

3 Barranquilla es un puerto antiguo/pequeño/industrial.

4 Hay un nuevo museo/estadio/catedral.

5 Titicaca es un río/océano/lago.

6 Está situado en el valle/el páramo/los picos de los Andes en el Perú.

7 Barcelona es la ciudad principal de Cataluña/Calatrava/Cantabria.

8 Hay mucho que ver/poco que visitar/nada que hacer en Barcelona.

9 Sitges está a orillas del mar/en las montañas/en el campo.

10 Tiene un buen colegio/restaurante/teatro.

Vivo	en	una ciudad	en	el norte	del país	cerca del mar
		un pueblo		el sur		a orillas del río
		el campo		el este		en las montañas
				el oeste		

| Hay | un cine   un estadio   un polideportivo   un castillo |
| | unos monumentos   un museo   unas tiendas |

| Falta | una pista de patinaje   un teatro   una estación |
| | una piscina   un centro comercial |

| Se puede ir/visitar/hacer |
| (No) hay mucho que hacer |

d 🎧 ¿Qué opinan? Escucha y apunta la letra que corresponde.

Ejemplo: Sevilla = B ...

A industrial
B muchos turistas
C congestionado
D mucho tráfico
E sucio
F aislado
G interesante
H ruidoso
I solitario
J concurrido
K tranquilo
L elegante

e Lo bueno y lo malo

▼ Clasifica las opiniones: negativas y positivas.
▲ Añade otros ejemplos.

f ¿En cuál de los lugares de las fotos te gustaría vivir? ¿En cuál no te gustaría vivir? ¿Por qué (no)?

¿Cómo es tu ciudad/pueblo/barrio?

¿Qué hay allí?

¿Cuántos habitantes hay?

¿Qué hay de interés para los turistas/para los jóvenes?

¿Qué transporte hay?

¿Qué tiempo hace en invierno/verano?

¿Dónde está situado?

¿Te gusta vivir allí? ¿Por qué? ¿Por qué no?

¿Qué más puedes decir...?

¿Dónde te gustaría vivir?

2 👥 A ti te toca

Pregunta a tu compañero/a sobre su ciudad/barrio/pueblo.

A

B
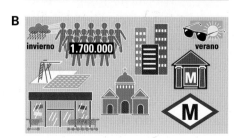

3 Un plano

Dibuja un plano de tu barrio, a mano o en el ordenador.

▼ Indica con símbolos los sitios interesantes.

▲ Prepara un informe para los turistas.

23

The present tense page 174

You use the present tense to say what is happening now or happens regularly. In Spanish **regular** verbs follow the pattern below.

Remember: all verbs are listed in the dictionary in the infinitive form.

The endings change according to the person or thing doing the action, so in Spanish you only need to use the personal pronouns for emphasis.

	-ar	-er	-ir
(yo)	estudio	como	subo
(tú)	estudias	comes	subes
(él/ella/usted)	estudia	come	sube
(nosotros/as)	estudiamos	comemos	subimos
(vosotros/as)	estudiáis	coméis	subís
(ellos/ellas/ustedes)	estudian	comen	suben

1 How many regular verbs can you remember?

-AR	-ER	-IR

Write a list of as many as you can in each group.

2 Write out these sentences, putting the correct ending on each verb.

Pepe _____ (estudiar) en el colegio Cervantes. Cada día _____ (desayunar) a las siete y media y _____ (salir) de su casa de prisa. _____ (coger) el bus número trece. En el bus _____ (ver) a muchos amigos y todos _____ (hablar) fuerte. Todos _____ (bajar) del bus juntos y _____ (correr) a su clase.

Radical-changing verbs page 174

u > ue	o > ue	e > ie
jugar > juego	poder > puedo	querer > quiero
juegas	puedes	quieres
juega	puede	quiere
jugamos	podemos	queremos
jugáis	podéis	queréis
juegan	pueden	quieren

The change is usually indicated in the dictionary like this:

jugar (ue)   *poder (ue)*   *querer (ie)*

3 Sort out the clown!

Verbos revueltos

4 Write out these sentences with the correct form of the verb.
a Mi hermano mayor _____ (jugar) al fútbol en el equipo del colegio.
b Yo _____ (preferir) jugar al tenis.
c Tú, ¿qué _____ (querer) hacer hoy?
d No sé. _____ (poder) ir al cine.
e ¿A qué hora _____ (empezar) la película?

5 ◻ Look these verbs up in your dictionary. How do they change?

pensar volver comenzar dormir

Write a sentence using each one.

Reflexive verbs

Remember that the reflexive pronoun changes according to the subject of the verb and the verb endings follow the regular pattern.

ME	levant**o**
TE	levant**as**
SE	levant**a**

NOS	levant**amos**
OS	levant**áis**
SE	levant**an**

Remember that the reflexive pronoun is added to the end of the infinitive in a dictionary: *levantar**se***

Note that *despertarse (ie)* and *acostarse (ue)* are both radical-changing **and** reflexive verbs!

6 a Write out Juan's morning routine.

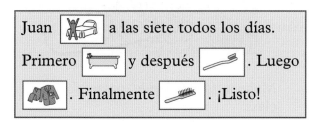

Juan [   ] a las siete todos los días.
Primero [   ] y después [   ]. Luego
[   ]. Finalmente [   ]. ¡Listo!

b Now follow the example and write about your morning routine.

Irregular verbs

Five of the most common irregular verbs are: *ir, tener, hacer, ser* and *estar*.
Look them up on page 184 and write out a learning card for each one.

Find a way that suits you to learn these by heart. For example:
Harry **I**nvented **T**errible **E**xtraordinary **S**pells
Harry **T**urned **E**gbert **I**nto **S**nails

The present continuous

This tense describes what is happening at the time of speaking or writing. It is similar to English -ing.

estoy	estamos	estudi**ando**
estás	estáis	com**iendo**
está	están	sub**iendo**

Two irregular present participles are:
leer ➡ *leyendo*   *dormir* ➡ *durmiendo*

Remember
estoy bañándome or *me estoy bañando*

7 Look back at exercise 6 and say in Spanish what Juan is doing in the pictures.

Ser and *estar*

Remember that there are two verbs which mean 'to be' in Spanish.

8 Choose *ser* or *estar* and write out these sentences correctly.
a Mi madre (es/está) profesora.
b (Soy/estoy) de Bogotá.
c Después de tanto ejercicio tienes que (ser/estar) cansado.
d Nuestro apartamento (está/es) en el último piso del edificio.
e Hoy (está/es) mi día preferido – ¡no hay clases!

Your dictionary

1 Contents

a How many different sections does it have?
Does it have a special section for verbs and another for grammar?
Is there a list of abbreviations?
What else does it have that might help you?

b Now look for these abbreviations. What do they mean? Copy them and note their meanings.

n nm nf n m/f v vr vt vi adj pron conj

transitive verb

deber 2a 1 (vt) (dinero, respeto) to owe
2 (vi) (a) (+ inf) debo hacerlo
(b) (suposición) debe de ser así
3 deberse (vr) ~ a to be owing; due to; because of
4 (nm) (a) (obligación) duty
(b) (deuda) debt
(c) (~es) (escol) homework

intransitive verb

reflexive verb

masculine noun   *plural*

c How many letters are there in the Spanish alphabet? Find out and learn where they come in the alphabet order in your dictionary.

2 Masculine and feminine

a Some common words do not follow the rule. Learn them by heart.

la radio   la mano
el día   el clima   el mapa   el problema

b These three do not actually break the rule. Why not?

la foto   la moto   la disco

3 False friends

Some words look very like a word in English. For example, you may think *largo* means 'large', but in fact it means **long**.

Check the following in your dictionary:
sensible actual agenda realizar librería simpático

Make a 'false friends' poster for your class.

4 ¡A jugar! Contrarreloj

In pairs write a list of words in English. Swap lists and see who can find the meanings in Spanish the fastest. Then look up words in Spanish and see how long it takes your partner to find their meanings in English.

Pronunciation

1 ⌒ Vowels
Practise your vowel sounds and keep them pure!

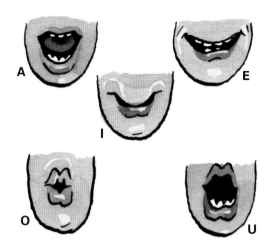

a e i o u
asno   **pe**rro   **ti**gre   **co**nejo   **cu**lebra

2 ⌒ Consonants
Some consonants are 'hard'-sounding and some are 'soft':

hard	soft
b **bu**rro	**v** **va**ca
c **ca**ballo	**c** **ce**bra
c **co**nejo	**c** **ci**sne
c **cu**lebra	
g **ga**to	**g** **ge**rbo
g **go**rila	**g** **gi**bón **gi**gante
g **gu**sano	

a Look at the vowels that follow the letters c and g. Is there a pattern? Can you make up a rule?

b Sometimes the sound changes because of where it comes in the word. Listen carefully and repeat.
ll **ll**egar   Sevi**ll**a
r pe**r**o   pe**rr**o   **r**evista
x ta**x**i   te**x**to   e**x**acto

Trabalenguas
Tres tristes tigres comen trigo en el trigal.

c Make up some more rhymes like this to help you practise the sounds above.

Preparing for your oral exam
Here are a few basic tips you can work through on your own.

- Read aloud. Don't be afraid of the sound of your own voice. Get used to hearing yourself speak in Spanish.
- Practise the sounds in front of a mirror. This helps you to appreciate the way your mouth moves and to produce the correct sound.
- Record a simple Spanish song or advert jingle which you like and imitate it until you know it by heart.
- Practise asking some key questions and then answer them yourself. You could look back through the questions in the yellow boxes.
- Note down some key words and phrases under the main topic headings and practise your oral presentation – which should be no more than four minutes.
- Make sure you know these phrases:

¡Repita, por favor!
        ¿Cómo se dice *cat* en español?
¡Deletréalo, por favor!
        ¿Qué quiere decir 'gato'?
¿Cómo se escribe?

A diario

1 Mi día

a Lee las cartas de Alejandro y de Pilar.

Me despierto temprano a las seis pero soy perezoso. No me levanto hasta las seis y media. Desayuno con toda la familia y salgo rápido de la casa. Normalmente llego a tiempo al colegio pero si hay mucho tráfico o pierdo el bus llego tarde. Las clases comienzan a las nueve menos cuarto. Almuerzo en casa a la una por lo general …

Yo en cambio como en la cafetería del colegio y a veces meriendo allí a las tres y media porque tengo clases hasta las cuatro y media. Me despido de mis compañeros y regreso a casa. Hago mis deberes enseguida; después veo la tele o juego con el ordenador. Ceno temprano con mis abuelos. Me baño y me acuesto a eso de las diez. Me duermo soñando con mis hermanastros y mi mamá que viven en Barcelona.

b 👥 Toma el papel de Alejandro y de Pilar. Pregunta y contesta.

Ejemplo:

> Alejandro, ¿a qué hora te levantas/desayunas/llegas al colegio?

> Pilar, ¿a qué hora regresas a casa/cenas/te acuestas?

c Contesta a las preguntas.

1 ¿Cuándo se despierta Alejandro?
2 ¿Se levanta inmediatamente?
3 ¿Con quién desayuna?
4 ¿Dónde almuerza?
5 ¿Dónde merienda Pilar?
6 ¿Qué hace después de las clases?
7 ¿Con quién cena?
8 ¿Cuándo se acuesta?

d ¿Cómo pasa Alejandro la tarde? ¿Cómo pasa Pilar la mañana? Imagina lo que hacen y escribe unas frases.

Los verbos que cambian		
despertarse	e > ie	me despierto
almorzar	o > ue	almuerzo
despedirse	e > i	me despido

2 ¿En casa o en la cafetería?

a 🎧 Escucha y escribe dónde comen al mediodía.

Casa	Cafetería

b Escribe una carta a un amigo/a español(a) contestando a las preguntas:

¿Qué comes al mediodía?

¿Comes en casa o en la cafetería del colegio?

¿Qué prefieres?

¿Qué te gusta comer más? ¿Qué te gusta menos?

3   ¡Qué contraste!

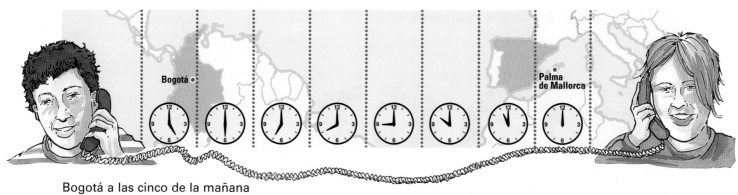

Bogotá a las cinco de la mañana

a   ⌒ Escucha la llamada telefónica. Completa las frases.

Alejandro	**Pilar**
Cuando yo estoy levantándome ...	yo estoy almorzando.
Cuando tú estás despidiéndote de tus amigos ...	tú _____ (estudiar).
Cuando yo estoy merendando ...	yo _____ (acostarse).
Cuando tú estás durmiéndote ...	tú _____ (regresar) a casa.

b   Rellena los espacios.

1   Alejandro está levantándose **mientras** Pilar _____ (almorzar).

2   Pilar está despidiéndose de sus amigos **mientras** Alejandro _____ (estudiar).

3   Alejandro está merendando **mientras** Pilar _____ (acostarse).

4   Pilar está durmiéndose **mientras** Alejandro _____ (regresar) a casa.

4   Mi agenda

Escribe tu rutina para un día de semana.

Por la mañana	me despierto/me levanto/desayuno/ salgo de casa
Al mediodía	como/almuerzo en casa/en la cafetería
Por la tarde	hago .../juego a .../regreso a casa
Por la noche	ceno/veo .../me acuesto

de costumbre   normalmente   por lo general
en cambio   mientras   pero

Mis faenas

1 Las faenas de casa

a 🄳 Empareja los dibujos con las frases.

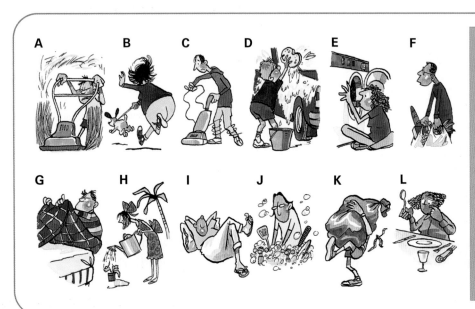

1. Limpio el coche.
2. Saco la basura.
3. Friego los platos.
4. Arreglo mi cama.
5. Riego las plantas.
6. Paseo al perro.
7. No hago nada.
8. Lavo la ropa.
9. Corto el césped.
10. Pongo la mesa.
11. Hago las compras.
12. Paso la aspiradora.

b 🎧 Escucha y rellena la tabla.

Número	¿Qué hace?	¿Cuándo?	Justo (✔)/injusto (✗)
1	Pasa la aspiradora.	cada día	X

c Tú, ¿qué tienes que hacer?

Ejemplo: Tengo que limpi**ar** el coche.

d ¿Qué opinas?

> Es justo/injusto
>
> Es aburrido/pesado
>
> Está bien
>
> No lo soporto/Me gusta/Lo odio

e 👥 Pregunta a tu compañero/a.

Ejemplo: ¿Tienes que limpiar el coche?

¿A cuántas preguntas contesta sí?
¿A cuántas contesta no?

Califícalo así. Si contesta sí …
1–3 veces es insuficiente.   7–10 es bueno.
4–6 es normal.   11–12 es sobresaliente.

2 Encuesta

¿Cuál es la faena que más se hace?
¿Cuál es la que menos se hace?
Pregunta a tus compañeros.

¿Qué haces?
¿Cuántas veces a la semana?
¿Qué opinas?

Calcula los resultados. ¿Hay diferencias entre los chicos y las chicas?
Compara los resultados con los de otra clase.

3 Mi trabajo

a Empareja los empleos con los dibujos.

1	canguro
2	repartidor/a (de periódicos)
3	dependiente/a
4	peluquero/a
5	camarero/a
6	cajero/a

b ∩ Escucha a unos amigos hablando de su trabajo. ¿Qué hacen?

c ∩ ¿Qué opinan del empleo?
Escucha otra vez y escoge una opinión para cada empleo.

1 Es fácil.

2 Es aburrido.

3 Paga bien.

4 Me cansa.

5 Paga mal.

6 Es difícil.

d ▣ ¿Dónde trabajan? Busca la palabra en tu diccionario si no la sabes.

e Y tú, ¿qué trabajo haces? Escribe unas frases.

> ¿Tienes un (pequeño) empleo?
>
> ¿Dónde trabajas?
>
> ¿Qué opinas?
>
> ¿Cuánto ganas? ¿Es por hora/media jornada/jornada entera?
>
> ¿Es suficiente o insuficiente?

4 ∩ Mi propio dinero

a Escucha a los jóvenes hablando de su dinero. Rellena la tabla.

	¿Cuánto?	¿Cuándo?	¿De quién?	¿Cómo lo gastan?
Andrés				
Miguel				
Pili				
María Clara				
Sebastián				
Juan				

b ¿Y tú? Escribe unas frases sobre tu dinero.

> ¿Qué haces en casa para ayudar?
>
> ¿Recibes una semanada? ¿Cuánto recibes?
>
> ¿Quién te la da? ¿Cuándo? ¿Cada cuánto?
>
> ¿Cómo la gastas? ¿En qué la gastas?

5 A ti te toca

a ▣ Piensa en todos los trabajos posibles para una persona de tu edad. Busca los que no sabes en tu diccionario.

b Clasifícalos en dos listas – los que te gustaría hacer y los que no te gustaría hacer.

Nuestro fin de semana

1 ¿Qué hacen el fin de semana? page 40

Pilar

> Me encanta levantarme de madrugada los sábados y salir a caballo temprano a las seis cuando apenas los pájaros se están despertando. A mis abuelos les gusta si les ayudo a hacer las faenas en casa por la mañana.
> Luego estoy libre para salir con mis amigos por la tarde. Nos gustan el deporte y la música de modo que siempre tenemos algo que hacer.

a Di si las frases son verdaderas o falsas.

1 Pilar se levanta tarde los sábados.

2 Le gusta salir a caballo.

3 Ayuda en casa por la mañana.

4 Sale con sus abuelos por la tarde.

5 Se aburre con sus amigos.

Guillermo

> Este sábado es mi cumpleaños. Voy a festejarlo con un grupo de amigos. Primero voy a cenar con mi familia. Mis hermanas dicen que van a darme una sorpresa. Creo que van a regalarme un reloj o tal vez un CD. Siempre salgo con el mismo grupo de compañeros de clase y siempre nos divertimos mucho. Esta vez vamos a ir a una nueva disco que van a inaugurar esta misma noche.

b Lee las frases. Dos frases son verdaderas: ¿cuáles son?

1 Guillermo va a festejar su cumpleaños el viernes.

2 Va a cenar con sus amigos.

3 Va a recibir un regalo de sus hermanas.

4 Se divierte poco con sus amigos.

5 Van a bailar por la noche.

2 A ti te toca

a Haz una lista de las cosas que haces tú durante el fin de semana.

Los sábados	Los domingos

b Escribe tu agenda para el fin de semana que viene. Imagina lo que vas a hacer.

Ejemplo: El sábado voy a levantarme ...
Vamos a ir a ...

3 ¿Qué van a hacer?

Alejandro

El domingo, rico, no hay clases entonces voy a quedarme en la cama hasta tarde — tal vez las once y media. Voy a levantarme y bañarme lentamente escuchando mi música favorita. Sé que mis padres van a ir a la iglesia: siempre van los domingos por la mañana. Vamos a comer en la calle con mis abuelos porque van a celebrar cincuenta y cinco años de casados. Por la tarde voy a encontrarme con unos amigos y vamos a ver una película de espionaje o a pasearnos por la Plaza de España.

a Rellena los espacios con las palabras adecuadas de la casilla.

1 Alejandro va a _____ en la cama hasta tarde el domingo.
2 Va a escuchar música mientras _____ y _____ .
3 Va a _____ con sus abuelos.
4 Por la tarde _____ encontrarse con sus amigos.
5 Van a _____ por la Plaza de España.

> va a   comer   pasearse   quedarse
> se levanta   se baña

b 🎧 Escucha y rellena los espacios con las palabras adecuadas.

Elena

> levantarme
> reunirme
> voy a
> ducharme
> vamos a
> lavarme

El domingo voy a _____ temprano para ir al gimnasio para practicar con el equipo de vóleibol. Después voy a regresar a casa para _____ y _____ el pelo. A la una en punto _____ almorzar en casa de mis abuelos y más tarde, a eso de las cuatro, voy a _____ con un grupo de mi colegio. _____ estudiar juntos porque tenemos que preparar una encuesta para geografía.

4 A ti te toca

▼ Compara un día de semana con el sábado o el domingo.

Ejemplo: Los lunes me levanto a las siete. En cambio, los domingos me levanto a las diez.

▲ Compara lo que haces por lo general los sábados con lo que hiciste el sábado pasado.

Ejemplo: Normalmente me levanto tarde pero el sábado pasado me levanté temprano porque ...

5 👥 Una entrevista

Persona A es un(a) cantante famoso/a. Persona B va a hacerle preguntas sobre su día:

¿A qué hora se levanta usted normalmente un día de semana?

¿A qué hora se acuesta?

¿Es diferente los sábados y los domingos? ¿Cómo?

¿Qué hace después de levantarse?

¿Qué hace antes de acostarse?

¿Cómo pasa la tarde/noche durante la semana/el fin de semana?

¿Qué va a hacer el próximo fin de semana?

El cole

1 Una carta de Lola

a 🎧 Pilar recibe una carta de Lola, la prima de Alejandro. Lee y escucha.

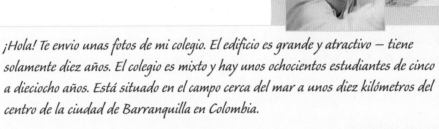

¡Hola! Te envío unas fotos de mi colegio. El edificio es grande y atractivo — tiene solamente diez años. El colegio es mixto y hay unos ochocientos estudiantes de cinco a dieciocho años. Está situado en el campo cerca del mar a unos diez kilómetros del centro de la ciudad de Barranquilla en Colombia.

Tengo que levantarme muy temprano porque las clases comienzan a las siete y media. Normalmente voy en el bus del colegio pero a veces si me siento perezosa mi mamá me lleva en coche.

Tenemos varias canchas de deporte y una piscina. También hay una cafetería que me gusta mucho porque es fresca y pasamos horas charlando allí ¡y comiendo perritos calientes deliciosos! Todas las aulas son climatizadas (tienen aire acondicionado) porque aquí hace mucho calor, sobre todo en verano — de noviembre a febrero — cuando no llueve. Claro tenemos bibliotecas — una para los menores y otra para nosotros los mayores.

El año escolar se divide en dos semestres — las vacaciones largas son en Navidades. Lo bueno es que el colegio es moderno y hay muchos clubs después de las clases, pero lo malo es que todas las clases son en INGLÉS. ¡Se llama el Colegio Británico! Y me parece difícil. Ay, y es un día muy largo porque terminamos a las tres y media o más tarde si tengo clubs o deporte. Otra cosa — tenemos un uniforme que no me gusta mucho y tengo exámenes este semestre para el bachillerato internacional.

b Compara tu colegio con este colegio. ¿Cuántas diferencias hay?

Ejemplo: En Barranquilla las clases comienzan a …
En cambio en mi colegio …

mientras que   pero   en cambio
al contrario

c Describe tu colegio (90 palabras).

Mi colegio	es	mixto/solamente para chicos/chicas muy/bastante moderno/viejo enorme pequeño mediano
	está	a cinco minutos de mi casa en el norte de mi pueblo en un barrio nuevo
	tiene	buenas/malas instalaciones un gimnasio una cancha de deporte una biblioteca multimedia una red de ordenadores

Voy al colegio a pie/en bus/en coche/en bici
Tardo cinco minutos en llegar

2 Normas

> **En mi clase**
>
> Hay que ... Vamos a ... No se permite ...
>
> Está prohibido ... Por favor no ...

a ¿Cuáles son las normas? Empareja las frases con los dibujos.

1 escuchar al profe
2 gritar en clase
3 escribir con cuidado
4 llevar zapatillas de deporte
5 hablar en español
6 reciclar papeles
7 comer en la biblioteca
8 tener su móvil en clase
9 tirar basura
10 llegar a tiempo

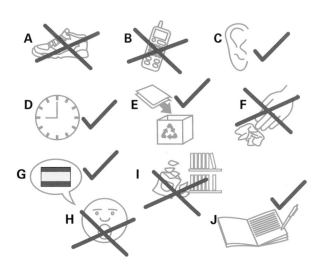

b Escribe cinco normas buenas y cinco normas locas.

Ejemplo: Está prohibido pintar grafiti. No se permite jugar al fútbol en la biblioteca.

3 ¿Y después de las clases ...?

a ⌒ Escucha y escribe los números. ¿Qué hace? ¿Qué no hace?

Ejemplo: Ignacio 1 ✓ 8 ✗

b 👥 Adivina.

> Me gusta el club de teatro pero no el club de natación.

> Eres Ignacio.

4 Un casete para Lola

Graba un casete para Lola. Cuéntale de tu colegio. Contesta a estas preguntas:

> ¿Cómo se llama tu colegio?
>
> ¿Dónde está?
>
> ¿Cómo es?
>
> ¿Cuántos estudiantes/profesores hay?
>
> ¿Cómo se llama el director/la directora?
>
> ¿Tienes que llevar uniforme?
>
> ¿Hay clubs de deporte o clubs sociales?
>
> ¿Qué instalaciones tiene?
>
> ¿Cómo vas al colegio?
>
> ¿Cuánto tiempo tardas en llegar?

En clase

1 Mis asignaturas

a ∩ Mira el horario de Pilar. Escucha y añade las asignaturas que faltan.

	lunes	martes	miércoles	jueves	viernes
9.00–10.00	geo...ía	tecnología	len...	len...	...ología
10.00–11.00	dibujo	cie...	...ria	ciencias	...ujo
11.00–11.30	R E C R E O				
11.30–12.30	ing...	...és	deporte	matemáticas	literatura
12.30–13.30	rel...	...icas	ciencias	geografía	inglés
13.30–15.00	C O M I D A				
15.00–16.00	f...	historia	mat...	...ura	...oria
16.00–17.00	literatura	...ica	in...	informática	gimnasia

b 👥 Pregunta y contesta.

¿Qué asignatura tiene Pilar los lunes a las 11:30?

Tiene ...

¿Qué hay para Pilar los miércoles a las 9:00?

Hay ...

c 👥 Pregunta a tu compañero/a sobre su horario.

Ejemplo:

¿Qué tienes el martes por la mañana?

Tengo ...

2 ¿Qué asignatura prefieren?

a ∩ Escucha y rellena la tabla.

	😄	🙂	😐	🙁
Elena				
Felipe				
María Elena				
Pedro				

b 👥 Pregunta y contesta.

¿A Elena le gusta mucho la física?

No, pero le gusta mucho el deporte.

¿A quién le gusta el diseño?

A Felipe.

¿Por qué?

Porque ...

c Escribe ocho frases – dos para cada persona.

Ejemplo: A Elena le gusta ...

3 Mi evaluación personal

a Lee el boletín escolar de Elena.

Nombre Elena **Apellido** García **Curso** 3 E.S.O.

Creo que voy bien en historia. He tenido sobresaliente todo el trimestre.
Siempre saco buenas notas en geografía y por eso pienso que soy fuerte en estas asignaturas.
Debo hacer más esfuerzo en religión porque muchas veces saco suficiente pero sé que puedo sacar mejor nota; bien o hasta notable.
No me gustan las matemáticas – son difíciles para mí. El profe me pone deficiente a veces.

Objetivos (para el trimestre entrante)

• hacer mis deberes cada noche

• no olvidar mi uniforme de deporte

• aprender de memoria mi vocabulario inglés

actitud	calificación
excelente	sobresaliente
muy buena	notable
buena	bien
normal	suficiente
pasiva	insuficiente
negativa	deficiente

b Lee las frases. Sólo hay tres que son correctas. ¿Cuáles son?

1 Elena saca buenas notas en historia.

2 No va bien en geografía.

3 Hace un gran esfuerzo en religión.

4 Encuentra las matemáticas bastante fáciles.

5 Saca suficiente en religión.

6 Va a tratar de hacer sus deberes cada noche.

7 No quiere aprender su vocabulario inglés.

c Escribe tu propia evaluación y tus objetivos. Sigue el ejemplo de Elena. Compara tu evaluación con la de tu compañero/a utilizando las preguntas de abajo.

¿En qué asignatura(s) vas bien/eres fuerte/sacas buenas notas?

¿En qué asignatura(s) vas mal?

¿Qué asignatura(s) prefieres? ¿Por qué?

¿Qué asignatura(s) no te gusta(n)? ¿Por qué?

¿Cuántas horas de deberes tienes cada noche?

¿Te parecen suficientes?

¿Qué opinas de los deberes?

...¿y después del cole?

1 ¿Qué hay que considerar?

mis asignaturas fuertes

mis pasatiempos

mis ambiciones

mis intereses

¿dejar el cole?

¿buscar un empleo?

¿continuar estudiando?

¿solicitar un aprendizaje?

a ¿Qué es lo más importante para ti? Pon las frases en orden.

Ejemplo: 1 continuar estudiando ...

b Compara tu lista con la de tu compañero/a.

> Creo que ...
>
> Me parece que ...
>
> ... es más/menos importante que ...

2 ∩ El futuro

Escucha a estos jóvenes. ¿Qué va a hacer cada persona?

▼ Escribe un nombre y una palabra.
Ejemplo: María – universidad

▲ Escribe una frase.
Ejemplo: María tiene la intención de ir a la universidad.

El próximo año	me gustaría	continuar mis estudios
Dentro de dos años	tengo la intención de	ir a la universidad
A los 18 años	espero	buscar un empleo
Si todo va bien		dejar el cole
		hacer un aprendizaje
		hacer los exámenes del bachillerato
		aprobar el bachillerato internacional

3 Sondeo

Mira y explica los resultados de un sondeo.

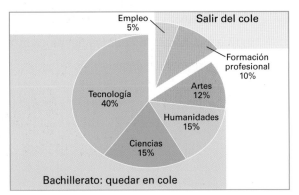

4 Presentación oral

Graba unas frases sobre tus planes.

> ¿Qué vas a hacer el año que viene?
>
> ¿Dónde vas a continuar los estudios/trabajar?
>
> ¿Qué vas a estudiar?
>
> ¿Qué esperas hacer en el futuro?
>
> ¿Es importante aprobar los exámenes? ¿Por qué?/¿Por qué no?

5 Durante las vacaciones largas

a Lee y empareja cada foto con el texto apropiado.

1 *Voy a hacer un curso de tenis por quince días en un colegio especial. Me encantan los deportes, especialmente el tenis. Voy a practicar todos los días con un entrenador. Voy a comer en la cafetería allí y por la tarde voy a estudiar unos vídeos para mejorar mi estilo.*

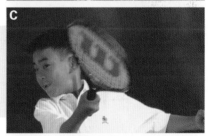

2 ¡Olé! Vamos a Inglaterra el veinte de julio. Vamos a visitar una ciudad que se llama York que está en el norte. Vamos a viajar en autocar con un grupo grande de mi curso. Vamos a quedarnos con una familia inglesa y vamos a pasarlo bien.

3 *¡Ay, qué aburrido! Voy a trabajar durante un mes en el supermercado del barrio. Voy a levantarme a las seis cada día y voy a coger el bus porque está lejos de mi casa. Voy a pasar horas poniendo cosas en las estanterías. Voy a llegar a casa cansada y sucia. ¿Qué se puede hacer? ¡Necesito el dinero!*

4 *Voy a quedarme en casa sin hacer nada – ¡qué bien! Mis padres van a salir a trabajar cada día de modo que voy a tener la casa para mí solo. Voy a quedarme en la cama hasta muy tarde – escuchando mis CDs – y después voy a jugar con el ordenador o mirar el DVD. No voy a bañarme. Voy a comer a mi gusto y espero ver a todos mis amigos.*

5 Voy a hacer una excursión a los Picos de Europa con mi familia. Vamos a viajar en tren hasta Potes y después vamos a caminar. Va a hacer calor pero no importa porque el mar está cerca. Voy a subir a dos mil metros en los Picos y posiblemente voy a hacer camping.

b 🎧 Escucha. Hay siete errores en los textos 1 y 2. ¿Puedes encontrarlos?

c Imagina que eres una de las personas de arriba (1–5). Escribe un e-mail a tu amigo/a. Cuenta lo que hiciste durante las vacaciones largas.

d Tú, ¿qué vas a hacer durante las vacaciones?

trabajar	practicar deporte
ver la tele	viajar

Future intentions

There are several ways of expressing what you are going to do or what is going to happen in the near future. The most common way is to use the present tense of:

ir (to go)	+ a	and the infinitive of the verb of action.
Voy	a	escuchar música.
¿Qué vas	a	hacer?

1 ♟ Pregunta y contesta.

Ejemplo:

> Tú, ¿qué vas a hacer el lunes a las diez?

> Voy a estudiar matemáticas.

Don't forget about the reflexive pronoun when you are using the infinitive of a reflexive verb:

> Mañana voy a levantar**me** temprano.

2 Write about what you are going to do next Sunday.

Domingo, ¡qué bien! Voy a 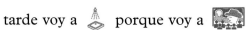 tarde, a eso de las diez y media. Voy a 🛏 y voy a 🖼. o 💿 . Luego a la una voy a 🍳 . ¡Qué delicioso! Después voy a 🍦 . Más tarde voy a 🔺 porque voy a 👥 con mis amigos por la tarde.

Here are two more ways of saying what you are planning to do or intend to do:

esperar (to hope to)	*Espero seguir con mis estudios el año que viene.*
tener la intención de (to intend to)	*Tengo la intención de buscar un empleo.*

3 Write five sentences about what you hope and intend to do in the future.

More verbs which take an infinitive

Here are some very useful verbs which also need the infinitive after them.

gustar   *Me gusta ver la tele.*

Me gustaría salir esta noche.

No me gusta trabajar los sábados.

querer   *Queremos visitar el castillo esta tarde.*

No quiero ir al teatro mañana.

preferir   *Prefiero jugar al fútbol que jugar al tenis.*

These verbs all express likes and dislikes. *Odiar, detestar* and *encantar* work in the same way.

4   Use the pictures to make up a dialogue. Disagree with everything your partner says!

Quiero ...

Yo no, prefiero ...

Me gustaría ...

Pues, yo quiero ...

Prefiero ...

No me gusta ...

5   Write a list of six things you like doing and six things you don't like doing. Try to use a different verb for each one.

Another group of very useful verbs to learn is:

poder (to be able to)   *¿Puedes salir esta tarde? No, lo siento, no puedo.*

tener que (to have to)   *Tienes que hacer tus deberes ahora.*

deber (should)   *Debemos seguir las normas del colegio.*

6   Write down what you can and can't do at weekends and what you have to do on weekdays.

7   Imagine you are:

a los santitos

b los diablitos

Write a code of conduct for both.
Debemos ...   No debemos ...

Mañas

Preparing for your oral presentation

Your presentation will be recorded, so practise listening to yourself speaking in Spanish. Don't be afraid to imitate the sounds you hear in Spanish.

Find out how long you have to speak for, how many topics you need to prepare, and whether you are allowed to take notes in with you. Prepare your presentation as follows:

- List the topic headings on a large piece of paper.
- Think of the details you want to include – approximately four per topic.
- Prepare to speak for an equal amount of time on each topic.
- Write down a list of useful words relevant to the topic. See the vocabulary lists on pages 00–00 as a starting point.
- Think of a few interesting adjectives to describe key words.
- Make sure you include some opinions and reasons, trying not to repeat yourself.
- Try to have one or two sentences which refer to the future and a few in the past tense.
- Check the relevant key questions (in the yellow boxes) and include your answers to them in your presentation.
- Look back at the help boxes for each topic and write down any useful ideas, words and phrases.
- Try to link the topics so that they lead in smoothly one to the other. You can talk about them in any order. Choose a few useful words and phrases to help you link the topics:

  en cambio   en contraste   al contrario
  también me gusta/me interesa …

Sample plan
Topic: Routine – mis rutinas

- por la mañana: antes del colegio – me levanto a las seis y media – no me gusta en invierno porque parece de noche y todavía tengo sueño.
- por la tarde: después de las clases – me encanta ir al club de kárate los miércoles porque tengo muchos amigos allí.
- por la noche: qué aburrido, tengo que ayudar en casa y hacer mis deberes pero si termino a tiempo puedo jugar a Nintendo.
- los sábados y los domingos: ??
- mi rutina ideal: ??
- algo diferente: vamos a visitar a mis abuelos porque mi abuela cumple ochenta años.
- la semana pasada: fui con mi padre a ver al Arsenal jugar contra el Tottenham y ganamos – ¡qué bien!

You cannot possibly include all of this detail, as you will go over the time allowed, so choose only four points.

Check if you have left out anything important, for example chores. Decide whether you want to include them under this topic or in the home life topic.

Now do the same for these topics:
- myself and my family
- my home and home life
- my town/village/area
- my school and free time

Once you have written out each topic in detail, reduce what you want to say to the main headings and key words only. Time yourself carefully, and make sure you speak at your normal pace.

Listening and reading

Before the exam:

- Make sure you are familiar with the style of tasks and types of questions. Some examples are: matching sentences with pictures, ticking boxes, filling in blanks, completing a table. Look back over Module 1 and find examples of these types of tasks. Do you have to answer questions in English or in Spanish?

During the exam:

- Concentration is key to all tasks. It may help you to close your eyes or to keep your eyes fixed on your paper.
- Read the questions carefully and try to identify the context, for example shopping, at the airport, in a garage, at school. Sometimes you can anticipate words and phrases from the context. Brainstorm with a partner the key words or phrases for each of the above.
- Look for key words or phrases in the questions:

  *¿Qué **compra** la señora? ¿A qué **hora** llega?*

  Here you need to concentrate on what she is buying and the time.

- Check if there are any pictures or symbols to help you.
- If you do not understand:

  – Try to think of similar words in English. For example, you might hear *biología, pianista* or *televisión.*

  – Write a list of school subjects: how many words look or sound similar to the English? How many are different? These are the ones you need to learn.

  – Beware of *amigos falsos!* Go back to page 26 and check.

  – Think of groups of similar words in Spanish: *pescado, pescar, pescador.* Make similar patterns with *carta, fruta, carne, jardín.*

  – What word can you see or hear in *acercarse, alejarse, casita, hermanastro, bisabuelo?*

  – Some prefixes may help as they are similar to English:

  re   rehacer   rellenar

  im   imposible   impaciente

  – Some suffixes are similar too:

-dad/-tad is like English -ty	*ciudad* – city
-ción -tion	*estación* – station
-ador/-edor/-idor -er/-or	*calculador* – calculator
-oso/-osa -ous	*delicioso* – delicious
-mente -ly	*rápidamente* – rapidly

See how many you and a partner can remember or find.

– Think about opposites:
simpático – antipático

agradable – ??

How many more can you remember?

1 ∩

a Escucha y anota los detalles.

Nombre .... Apellido ....
Edad ....
Fecha de nacimiento ....
Signo ....
Lugar de nacimiento ....
Descripción física (ojos, pelo) ....
Características ....

b Escucha y escoge la respuesta correcta.

1 Shakira es venezolana/colombiana/mexicana.

2 Comenzó su carrera a los ocho/diez/doce años.

3 Shakira es bailarina/cantante/baterista.

4 Ha vendido más de mil/un millón/diez mil copias de sus discos.

5 Ya tiene cinco/cuatro/tres discos a su nombre.

c Escucha a Shakira hablando de su nuevo apartamento.

▼ Indica los seis cuartos que menciona.
▲ Anota los detalles de los muebles.

SHAKIRA

ÍDOLO DEL POP LATINO

Shakira es una chica inteligente y trabajadora, una persona simpática, que no ha cambiado por la fama.

En el colegio le fascinaba la ciencia natural y todos pensaban que iba a ser investigadora científica. Pero de repente cambió y se dedicó a escribir día y noche poesías y cuentos. Cuando tenía sólo ocho años escribió su primera canción titulada 'Las gafas oscuras' y la dedicó a su padre.

A los 13 años hizo sus primeras grabaciones con la casa Sony con 'Magia' y luego a los 15 con 'Peligro'. En 1992 quedó tercera en el concurso Viña del Mar. Allí comenzó la fama pero no todo ha sido fácil. Su dedicación le ha llevado por delante en momentos de adversidad. 'Yo sabía que no había nacido para ama de casa, monja, pintora ni astronauta. Yo iba a ser cantante.'

¿Y qué de su música, su letra, su filosofía? Canta de la vida – de los problemas de los jóvenes – pero canta con una frescura directa.

Con más de 21 discos de oro y 54 de platino ya canta en inglés, italiano y portugués. ¿Hasta dónde llegará este pequeño huracán con bluyines? Lejos, muy lejos, predicamos.

2

a Lee el artículo sobre Shakira.

b Lee y completa las frases.

1 Shakira es _____ .

2 Antes le interesaba mucho _____ .

3 Empezó a escribir a los _____ .

4 Siempre quería ser _____ .

5 Canta en varios _____ .

cantante   la ciencia   trabajadora
idiomas   8 años

c Contesta a las preguntas.

1 ¿Qué asignaturas le gustaban a Shakira?

2 ¿Cómo se llama su primera canción?

3 ¿Cómo es su carácter?

4 ¿Cuántos años tenía cuando empezó a trabajar con Sony?

5 ¿Cómo son sus canciones?

3 🎧

a Tu colegio va a hacer un intercambio con un colegio de Sitges en España. Escucha.

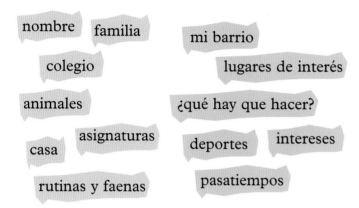

nombre   familia

mi barrio

colegio

lugares de interés

animales

¿qué hay que hacer?

casa   asignaturas

deportes   intereses

rutinas y faenas

pasatiempos

b ¿En qué orden escuchas las palabras/los temas? Escribe una lista.

c Escucha. Copia y completa las fichas.

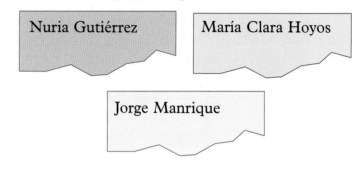

Nuria Gutiérrez

María Clara Hoyos

Jorge Manrique

4

a Lee la carta.

¡Saludos de Rodrigo Pablo Buenaventura!
Tengo dieciséis años y soy de origen argentino pero hace años que vivimos aquí en Sitges. Me gusta mucho, sobre todo porque estamos a orillas del mar y puedo nadar casi todo el año si quiero. Paso horas haciendo surf y jugando vóleiplaya con mis amigos. No tengo una familia grande – sólo somos mi papá y yo porque mi madre vive todavía en Buenos Aires con mis otros hermanos. Mi padre trabaja con ordenadores en una empresa grande en Barcelona y viaja allí todos los días en tren.
   Me encanta leer y escribo poesías. Me fascina el cine clásico y soy miembro de un cine club. Vivimos en un piso bonito que tiene vista al mar. Es lujoso y amplio.
   No hago mucho para ayudar en casa – soy vago. No soy muy fuerte en los estudios pero me gusta ir al colegio para encontrarme con mis amigos. ¿Qué es lo que más te gusta hacer donde vives tú? Y ¿qué me cuentas de tu colegio?

b Contesta a las preguntas.

1 ¿Dónde nació Rodrigo?

2 ¿Qué le gusta hacer en Sitges?

3 ¿Cómo va su padre al trabajo?

4 ¿Cómo es su piso?

5 ¿Qué le gusta hacer en el colegio?

c Escribe una carta a Rodrigo, contestando a sus dos preguntas.

5

Contesta a las preguntas de los estudiantes españoles.

Cuéntame de tu familia y todo lo que haces en tu barrio.

Durante mi visita quiero ver todos los museos y monumentos históricos. ¿Puedes hacerme una lista de lo que hay que ver y cómo es? Y dame tu opinión, por favor.

¿Tienes un equipo favorito y practicas algún deporte o no te interesa?

¿Qué quieres hacer en la vida?

6

Prepara una presentación oral sobre tu colegio.

Lee las Mañas 1A y 1B otra vez (páginas 26–27 y 42–43).
Escribe una frase para cada aspecto.
Habla con los apuntes por dos minutos nada más.

Por la calle

De vacaciones y de viaje

1 Plano de Sitges

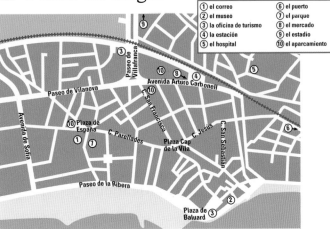

	① el correo	⑥ el puerto
	② el museo	⑦ el parque
	③ la oficina de turismo	⑧ el mercado
	④ la estación	⑨ el estadio
	⑤ el hospital	⑩ el aparcamiento

tú	usted	
baja	baje	
coge	coja	la primera/la segunda calle a la izquierda/ a la derecha
dobla	doble	
sube	suba	
cruza	cruce	
sigue	siga	todo recto
ve	vaya	

a 👥 Pregunta y contesta.
¿Adónde vas si quieres ...?

A aparcar el coche

B mandar una carta

C dar un paseo

D ver cosas antiguas

E visitar al médico

F mirar los barcos

G comprar fruta y verdura

H buscar información

I jugar al fútbol

J coger un tren

▼ Contesta con el número o el nombre.

▲ Contesta con una frase entera.

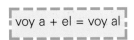

b 🎧 Mira el mapa y escucha.

1 – ¿Por dónde se va a Correos?
   – Bueno, de aquí en la estación dobla a la derecha. Coge la avenida Arturo Carbonell. Coge la tercera calle a la izquierda, después la primera a la derecha. Sube hasta la Plaza de España y allí está enfrente del parking.
   – Muchas gracias.
   – De nada. Adiós.

2 – Niño, ¿me puedes decir dónde está el mercado?
   – Sí, señora. De aquí en la Plaza de España siga todo recto por la calle Parellades hasta la Plaza Cap de la Vila. Doble a la izquierda por la calle San Francisco, coja la segunda a la derecha y cruce la avenida Arturo Carbonell. Está allí enfrente de la estación.
   – Muy bien. Gracias, hijo.
   – No hay de qué, señora.

c 👥 ¿Por dónde se va?

Mira el mapa y da las direcciones necesarias a tu compañero/a.

1 Estoy en el museo y quiero ir a Correos.

2 Tengo que ir del estadio al aparcamiento.

3 Quiero ir rápido del parque a la estación.

4 Necesito ir a la oficina de turismo y estoy en el mercado.

5 Me gustaría ir al mercado y estoy en el puerto.

2 ¿Dónde está?

a 🎧 Escucha la conversación. ¿A cuál de los mapas se refiere?

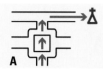 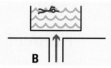 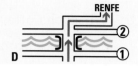

b 👥 Da las instrucciones. ¿Por dónde se va al colegio, al mercado, a la piscina ...?

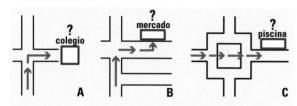

c 👥 Pregunta y contesta. ¿Dónde está?

3 Tiendas y almacenes

a ¿Qué se vende en ...?

una droguería
una farmacia
una perfumería
una panadería
una pastelería
una frutería
una carnicería
un estanco
una relojería
una librería
una papelería
una tienda de comestibles

b ¿Cómo se llama la persona que administra cada lugar?

Ejemplo: El carnicero trabaja en la carnicería.

¡Cuidado! No todos siguen la fórmula.

4 ¿A qué hora abre y cierra?

Empareja las frases y los letreros.

a Son las horas de apertura.
b Cierra los miércoles por la tarde.
c Abre en la mañana solamente.
d Está cerrado los sábados.
e Está cerrado por vacaciones anuales.

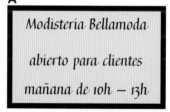

A
Modistería Bellamoda

abierto para clientes

mañana de 10h – 13h

C
FLORES
FANTASÍA
TROPICAL

FAVOR DIRIGIRSE
AL MERCADO
DÍA SÁBADO

ZAPATERÍA
BUENACALZA

sentimos la molestia – cerrado
durante el mes de agosto

B

D Unió de Botiguers de Sitges
HORARI COMERCIAL
MATI   TARDA
CAIXA DE BARCELONA

E
➕ Farmacia El Saludable

Mierc cerrado 14h en adelante.
Urgencias vayan a la cruz Roja

¿Cómo viajar?

1 ¿Cómo piensan viajar?

a 🎧 Escucha e identifica el transporte.

b 🎧 Escucha otra vez.

▼ ¿Qué les aconseja?
▲ ¿Por qué?

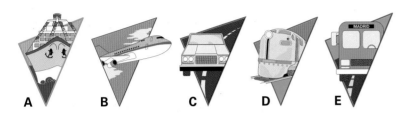

A   B   C   D   E

en barco/avión/tren/coche/autocar	
más	rápido limpio cómodo barato fácil agradable directo práctico corto
mejor	
menos complicado	

c 👥 Aconseja a tu compañero/a.

1 Para ir a Barcelona de Londres es ...
2 Para ir a Caracas de Madrid es ...
3 Para atravesar la Mancha es ...
4 Para ir de Bilbao a Southampton es ...
5 Para ir de Zaragoza a Pamplona es ...

d Busca otros destinos en un atlas e inventa otros consejos.

Ejemplo:

> Quiero ir de ... a ...

> Entonces coge ... Creo que es mejor porque ...

En mi opinión ...

Creo que ...

Pienso que ...

2 Reservas

a 🎧 Escucha y anota los datos.

Ejemplo:

FICHA DE RESERVA

Fecha:	lunes 22
Destino:	Granada
Billete:	ida sólo
Clase:	segunda
Precio:	€ 35,50
Extras:	no fumador
Asiento:	32
Salida:	11h
Llegada:	17h

b 👥 Usa dos fichas e inventa otros diálogos.

¿A qué hora sale/va a salir?

¿A qué hora llega/va a llegar?

¿De dónde sale/va a salir?

¿Adónde llega?

¿Va directo?

¿Hay que cambiar?

¿Qué clase es?

¿Es fumador o no fumador?

3 👥 El billete

Explica este billete a tu compañero/a.

4 Señales para viajeros

a 🎧 Mira las señales. Escucha y une las dos partes.

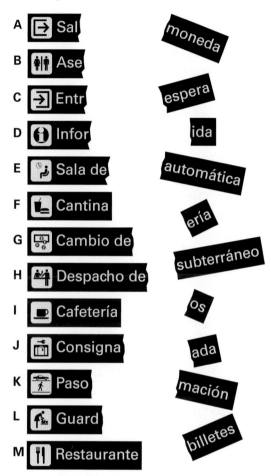

A 🚪 Sal

B 🚹 Ase

C 🔛 Entr

D ℹ️ Infor

E 🪑 Sala de

F 🪑 Cantina

G 💱 Cambio de

H 🎫 Despacho de

I ☕ Cafetería

J 🛄 Consigna

K 🚶 Paso

L 🚼 Guard

M 🍴 Restaurante

moneda

espera

ida

automática

ería

subterráneo

os

ada

mación

billetes

b 📖 Identifica la señal.

c Indica las señales correctas.

1 Aquí se puede cambiar cheques de viajero.

2 Aquí se compra el billete.

3 Aquí se guarda el equipaje.

4 Aquí se puede descansar antes de coger el tren.

5 Aquí se puede lavar las manos.

6 Aquí se puede cambiar al bebé.

Inventa más frases. A ver si tu compañero/a puede adivinarlas.

d 🎧 Escucha y anota el número de las señales.

Ejemplo: 1 = B, D ...

5 Anuncios

a 🎧 Escucha. ¿En qué orden oyes los anuncios?

A *Atención, por favor. El tren rápido procedente de Pontevedra está por llegar al andén número 5.*

B *Pasajeros para el vuelo Iberia IB 506 favor pasen a la puerta número 8.*

C *El ómnibus Tarragona–Paseo de Gracia (Barcelona) está para salir por la vía 7.*

b 🎧 Escucha otros anuncios. ¿A cuál de los viajeros corresponde? ¿Qué tiene que hacer?

6 ¿Me puede ayudar?

Lee y empareja las dos partes según su sentido.

1 ¿Me puedo sentar aquí?

2 El vuelo está atrasado.

3 ¿Qué autocar vas a coger?

4 ¿Crees que habrá sitio?

A El avión llegará ahora a las cinco.

B Sí, claro – este asiento está libre.

C No sé – será el de las cuatro.

D Lo siento, está ocupado.

En camino

1 El horario

a Consulta el horario. ¿Cuántos errores puedes encontrar en la información de abajo?

FAST FERRY
LA AUTOPISTA DEL MAR

BARCELONA ↔ PALMA   PALMA ↔ IBIZA
VALENCIA ↔ PALMA   VALENCIA ↔ IBIZA

CARACTERÍSTICAS TÉCNICAS Y ACOMODACIONES

- Eslora total: 95.202m • Manga: 14.60m
- Potencia motor: 4 x 5,400kw • Velocidad: 37 nudos
- Capacidad: 450 pasajeros • 76 Cochas • 11 Caravanas
- Bar Clase Club • Bar Clase Turista • Monitores TV
- Música • Tienda • Teléfono

ESTOS HORARIOS E ITINERARIOS SE PUEDEN

MODIFICAR SIN PREVIO AVISO

SIGNOS CONVENCIONALES

1 Lunes   2 Martes   3 Miércoles   4 Jueves   5 Viernes   6 Sábado   7 Domingo

HORARIOS E ITINERARIOS • TIMETABLE									
Travesia	Hora	Día • Day • Jour • Tag							
Barcelona-Palma	17.00	•	2	3	4	5	•	•	
	19.00	•	•	•	•	•	•	7	
Palma-Barcelona	07.30	•	2	3	4	5	6	•	
Valencia-Palma	17.00	1	•	•	•	•	•	•	
Palma-Valencia	07.30	1	•	•	•	•	•	•	
Valencia-Ibiza	–	–							
Ibiza-Valencia	–	–							
Palma-Ibiza	–	–							
Ibiza-Palma	–	–							

1 Este folleto da informes de trenes y coches.

2 Da información para toda España.

3 El número tres significa miércoles.

4 Hay capacidad para setenta y cinco coches y once caravanas.

5 No se puede salir de Barcelona los lunes.

b Contesta a las preguntas

▼ con una sola palabra.

▲ con una frase entera.

1 ¿Cuántas veces a la semana sale de Barcelona a Palma?

2 ¿Cuántas personas caben?

3 ¿Hay servicio para minusválidos?

4 ¿A qué velocidad va?

5 ¿A qué hora sale de Valencia?

c 🎧 Hay varios grupos que quieren viajar. Escucha. ¿Qué quieren? ¿Se puede o no se puede?

d Quieren ir de Barcelona a la Palma. ¿Qué les aconsejas?

1 Tenemos un hotel reservado para el jueves desde las doce del día. ¿Cuándo es mejor viajar?

2 Somos una familia con caravana y un bebé. ¿Hay facilidades para nosotros? ¿Cuándo y a qué hora nos aconseja viajar?

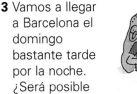

3 Vamos a llegar a Barcelona el domingo bastante tarde por la noche. ¿Será posible viajar?

2 Un viaje

a 🎧 Escucha, copia y completa el texto con palabras de la casilla.

> ...¡Qué bien! Y escucha, nosotros _____, toda la familia, a _____. Vamos a viajar _____. Vamos a salir de Madrid _____ 22 por la mañana. Vamos a atravesar toda _____ y vamos a _____ París por el camino. Después vamos a _____ el canal de la Mancha en el Shuttle y vamos a _____ por debajo del mar – ¡imagínate! _____ vamos a llegar a Londres el lunes 26 _____. Voy a visitar todo ...

Francia	pasar	por la tarde
vamos	el jueves	Inglaterra
en coche	luego	cruzar visitar

b Escribe a tu amigo/a contando lo que vas a hacer en tus vacaciones.

▼ Escribe una tarjeta de unas 40 palabras.

▲ Escribe una carta de unas 90 palabras.

3 Un accidente page 64

a Lee el texto.

> ¡Ay, Dios mío! ¡Qué día tan horrible – fatal! Llegamos bien el lunes por la tarde y enseguida salimos a visitar el Palacio de Buckingham y el Big Ben. Dejamos el coche en el hotel y decidimos coger el metro. Después fuimos a Carnaby Street y compramos unos recuerdos típicos. Por la noche comimos en un restaurante italiano.
>
> Al día siguiente fuimos en coche a Windsor. Lo pasamos bien y visitamos el castillo, luego caminamos por las calles antiguas de Eton. A eso de las cuatro de la tarde decidimos volver al hotel. Desgraciadamente al salir de la carretera secundaria y coger la autopista M4 mi pobre papá olvidó que en Inglaterra conducen por la izquierda. Hubo un choque impresionante. No nos pasó nada grave a nosotros pero el coche estaba hecho un desastre.
>
> Claro, terminamos las vacaciones bastante tristes pero vimos muchas cosas interesantes y Londres me gustó mucho. Tuvimos que volver en avión. Fue un viaje corto – ¡de dos horas en vez de tres días!

b Escribe una lista de todas las palabras que tienen que ver con **el tiempo**.

Ejemplo: el lunes por la tarde, enseguida ...

c Escribe una lista de todos los verbos. Indica **el tiempo** de cada uno.

Ejemplo: llegamos = pretérito

d Escribe un cuento similar de unas 90 palabras.

Averiguamos

1 ¿Dónde se encuentra?

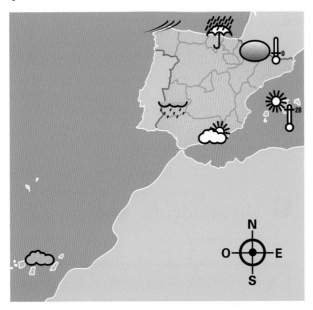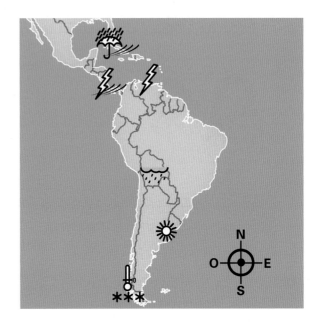

a 🎧 Escucha e identifica si hay que pulsar el botón A, B, C o E.

b 🎧 Vuelve a escuchar y rellena la tabla.

País	N/S/E/O	Detalles ▲
Colombia	N (costa)	Santa María – atractiva y antigua

2 ¿Cómo es el clima?

a Mira los mapas. Di si la frase es correcta o no. Corrige las incorrectas.

1 En los Andes a menudo cae una llovizna fina.
2 En Tenerife hay tormenta.
3 En los Pirineos ha caído mucha nieve y hace frío.
4 Hace buen tiempo y calor en Caracas.
5 Ahora está lloviendo en Buenos Aires.

b 🎧 Escucha. ¿Qué tiempo hace …

1 en las Baleares?   4 en Costa Rica?
2 en Extremadura?   5 en Cuba?
3 en el sur de Chile?   6 en Cantabria?

Hace buen tiempo.

Hace mal tiempo.

Hace sol.

Hace viento.

Hace calor.

Hace frío.

Hay tormenta.

Hay niebla.

Hay llovizna.

Llueve. [la lluvia]

Nieva. [la nieve]

3 ⌒ Preliminares

Escucha y anota los detalles para cada persona.

Destino	Transporte	Alojamiento	Fechas	Personas
Ibiza	coche y barco	albergue	agosto	5

hotel	barco	pensión completa
camping	avión	media pensión
albergue (juvenil)	tren	
apartamento	coche	
	autocar	

4 Estamos de visita

a ⌒ Escucha. ¿Qué piden?

A BARCELONA

B HORARIO

C TARIFAS

D

E

b 👥 Practica el diálogo.

– Buenos días, señora. Quisiera unos informes.
– A la orden, pues. ¿Qué quiere saber?
– ¿Tiene usted una lista de hoteles, por favor?
– ¿Cómo no? Aquí hay una.
– ¿Puede recomendar unos restaurantes típicos?
– Por supuesto – aquí tiene varios.
– Me gustaría hacer unas excursiones.
– Mañana hay una visita guiada de la región.
– ¿A qué hora sale y de dónde?
– Sale de la Plaza de España a las diez de la mañana.
– ¿A qué hora regresa?
– A eso de las siete de la noche.
– ¿Cuánto cuesta, por favor?
– Cuesta 15 euros.

c 👥 Inventa otros diálogos usando los dibujos.

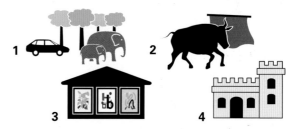
1   2
3   4

Quisiera	una lista de	hoteles
Me gustaría	unos informes sobre	pensiones
¿Tiene ...?	un folleto sobre	el camping
Deme por favor		la ciudad
		la región

tarifa especial/reducida   para niños/personas jubiladas
¿Qué se puede hacer/visitar?   ¿Puede recomendar ...?
¿Me puede decir qué tiempo va a hacer mañana?

Haciendo turismo

1 Vacaciones en Sitges

a 🎧 Escucha. Escribe el número de los servicios ofrecidos.

> Mapas
>
> Folletos
>
> Planos de la ciudad
>
> Información sobre todos los museos
>
> Listas de restaurantes
>
> Listas de hoteles
>
> Horarios de trenes y autobuses
>
> Visitas guiadas

b 🎧 Escucha el informe. ¿En qué orden se mencionan?

c Lee el texto.

Sitges, Joya del Mediterráneo

A unos 35 km de Barcelona, 20 minutos en tren del aeropuerto, con 300 días de sol al año y sus largas playas de arena fina, Sitges es sin duda uno de los pueblos privilegiados de la costa catalana.

Visiten:
- el casco viejo con su iglesia y puerto antiguo que data de la época romana
- las bodegas de vino local de la región del Penedés
- los museos
- los tres puertos deportivos donde pueden hacer jetski o pesca
- el terreno de golf
- la bolera
- el Parque Natural del Garraf con 10.000 hectáreas de zona verde

d Lee las frases y corrige las falsas.

1. Sitges está a 40 km de Barcelona.
2. Tiene playas bonitas.
3. Está situada en la costa del Sol.
4. Hay una iglesia antigua.
5. Tiene tres campos de golf.

e Lee y completa el texto.

Por tradición _____ sitgetana viene del _____ – son muy importantes el _____ y los mariscos. Pero _____ representan a todas las civilizaciones del _____ con almendras, ajo y aceite de oliva como _____ básicos. La Malvasía es _____ de postre muy _____ .

ingredientes	especial	la cocina
las salsas	un vino	mar
mediterráneo	pescado	

f Prepara un folleto sobre tu región.

2 Carnaval en Barranquilla

a Lee.

El Garabato

La cumbia

La mejor época del año para mí es cuando empiezan las fiestas de Carnaval en febrero. Hay procesiones fantásticas y todo el mundo se pone disfraces o el traje típico de su región y sale a la calle a bailar. Todos nos divertimos enormemente.

Niño disfrazado

Máscaras y diablos

b 🎧 Escucha a la gente hablando de otras fiestas y festivales. Copia y rellena la tabla.

Fiesta	Dónde	Época	Fechas	Detalles ▲
Semana Santa	Sevilla	Pascua	no exactas	pasos/penitentes/virgen/saetas

c Escribe un texto breve sobre una fiesta que te interesa.

- Nombre
- Época
- Fecha
- Dónde se celebra
- Qué se celebra
- Cómo se celebra
- Detalles
- Opinión

d Prepara una presentación oral.

¿Qué época del año prefieres?

¿Por qué te gusta?

¿Qué haces o qué se hace?

¿Cómo se celebra?

Voy a pasarlo bien

1 Madrid

a 🎧 Escucha.

b 👥 Sigue el ejemplo y prepara dos conversaciones. Graba una de ellas.

Ministerio de Educación y Cultura
Museo Nacional del Prado

Entrada Exposición
LOS CINCO SENTIDOS Y EL ARTE
Nº 111593
Patrocinada por Banco Bilbao Vizcaya
Con la Colaboración de RTVE

Museo del Prado

El Escorial

El parque del Retiro

Plaza Mayor

MINISTERIO DE CULTURA
MUSEO NACIONAL CENTRO DE ARTE
REINA SOFIA

ENTRADA

Nº 820250

El museo Reina Sofía

Cibeles

Ayer
fuimos a/visitamos/vimos

Hoy o mañana
vamos a ver/visitar/ir a

▲ **Mañana**
iremos a/visitaremos/veremos
podremos ir a/visitar/ver

2 ¿Qué vamos a hacer?

a Lee las frases y ponlas en orden según el sentido de los dibujos.

Y por último todos vamos a acostarnos temprano.

Vamos a alquilar un pédalo.

Tú, ¿qué quieres hacer?

La primera cosa es un buen desayuno.

Bueno, yo voy a nadar en la piscina.

Debemos descansar durante el primer día.

Esta noche vamos a comer algo ligero.

Voy a tumbarme en la playa.

No voy a almorzar.

Tengo la intención de pasar el día leyendo.

b 🎧 Escucha las conversaciones y anota lo que deciden hacer hoy, mañana y pasado mañana.

c Planea una agenda tuya para unos días divertidos. Escribe lo que vas a hacer:

- hoy
- mañana
- pasado mañana
- los otros días

3 Tarjeta de los Andes

a Lee la tarjeta.

Un saludo afectuoso para todos de aquí en la cordillera andina. Todo ha ido de maravilla. He visto paisaje espectacular - vicuñas, cóndores, picos increíbles. Ha hecho un clima agradable para mí - llovizna suave, días nublados y templados - hasta hemos tenido neblina. Hemos viajado varios días a caballo que siempre me ha asustado un poquito. ¡Todo va bien menos mi pompis adolorido! Nos vemos pronto.

Alejandro

b Lee las frases siguientes. Sólo hay dos correctas. ¿Cuáles son?

1 Alejandro está de vacaciones en la playa.

2 Ha pasado unos días muy agradables.

3 No le ha gustado el tiempo porque ha hecho demasiado calor.

4 No ha tenido miedo montado a caballo.

5 Le duele el pompis un poco.

4 Saludos de las Islas Galápagos

a Lee la tarjeta.

Querido Alejo

¡Aquí pasándolo_____ ! ¡Esto sí que es la vida, hermano!_____ con las focas y_____ en _____ tibia - _____ divino, cielos despejados - viviendo la_____ darwiniana. Hemos dado la vuelta de_____ en una panga - tipo de_____ . Abrazos de tu hermanito

Sebas

b 🎧 Escucha y rellena los espacios con las palabras adecuadas.

agua   de ataque   barco   sol   nadando
tortugas   las islas   historia

5 A ti te toca

Imagina que estás de vacaciones en uno de estos lugares. Escribe una tarjeta postal a un amigo/a (90 palabras).

¿Dónde nos alojamos?

1 ¿Qué recomiendas?

a Lee.

Bienvenidos al **Hostal las Incas** en Salamanca – donde se habla el castellano de los reyes. Combina vacaciones con estudios – grupos o individuos. Visitas guiadas a lugares de interés.

Camping Municipal La Paz
Parcelas y espacio libre – tiendas y caravanas – mar a 2 km – centro deportivo – parque infantil – toda la familia a disfrutar.

Aparthotel La Babilla Media pensión. Gran Canaria les ofrece sol, playa, mar todo el año. Surf, buceo, pesca submarina – clases para principiantes.

Hotel Aguafrías A 100 km de Madrid en la Sierra de Navacerrada. Excursiones al monasterio de Paular, Segovia, El Escorial y Madrid.

Apartamentos Vidaloca
Supermercado, restaurantes, discos, clubs – todo muy cerca. Superofertas de verano – viva la vida nocturna.

La familia López quiere ir de vacaciones cerca del mar. Tiene tres niños de 8, 15 y 17 años. Les gusta toda clase de deporte pero nunca han hecho surf. A los padres les gustaría un lugar tranquilo en una región campestre.

La familia Serrano – una pareja jubilada. Les interesa visitar los monumentos y museos de arte. Buscan tranquilidad para leer y dar paseos. Les gusta la comida típica. Van a fines de septiembre en coche.

La familia González – una familia grande y activa. Buscan una escena animada y concurrida. Les gustan las discos, toda clase de deporte. Les gusta la comida internacional. Quieren divertirse. Van en agosto – por avión.

Grupo escolar de 15 a 17 años. Vienen de Leeds con tres profesores y buscan un lugar interesante para perfeccionar el idioma y donde puedan disfrutar de la cultura y vida española.

b ¿Cuál de estos lugares recomiendas para cada grupo? ¿Por qué? Discútelo con tu compañero/a.

c Busca más información sobre cada lugar. Explica exactamente dónde está y qué se puede hacer allí.

2 A ti te toca

a 👥 ¿Dónde pasas tus vacaciones? Pregunta a tu compañero/a.

b Prepara una presentación oral sobre tus vacaciones y grábala en un casete.

Normalmente	voy a/vamos a	España	a orillas del mar
Por lo general	paso/pasamos	una semana	en un camping
El año pasado	fui/fuimos a	Grecia	en las montañas
	pasé/pasamos	quince días	en un hotel
El próximo verano	voy a ir a	México	al campo
En agosto	voy a pasar	un mes	en una pensión

3 ¿Qué tipo de alojamiento?

Lee las frases. ¿Qué recomiendas?

1 Cambiamos de lugar cada día como estamos haciendo autostop.

2 Preferimos estar como en familia y hacer compras y cocinar en casa.

3 Tiene que ser muy cómodo y a precio bastante razonable.

4 Buscamos algo de lujo como es nuestra luna de miel.

5 Viajamos en coche de lugar en lugar pero queremos estar cómodos.

4 🎧 Hotel Santa María en Sitges

a Escucha y anota la información necesaria.

- Precio de habitaciones
- Precio de desayuno
- Precio de media pensión
- Confirmación de fechas de llegada y salida
- Confirmación de número de noches en el hotel
- ¿Qué más ofrece el hotel?

b Un cliente pide información sobre el restaurante del hotel. Escucha y contesta sí o no a las preguntas siguientes.

1 ¿El restaurante abre a la una del día?

2 ¿Cierra los lunes en invierno?

3 ¿Hay platos vegetarianos?

4 ¿Hay solamente un tipo de arroz?

5 ¿El restaurante está situado lejos del Paseo Marítimo?

Quisiera...

1 Reservas y confirmaciones

a 📞 Llama por teléfono. Tu compañero/a toma el papel de recepcionista. Practica el diálogo.

– Oiga, ¿éste es el hotel Santa María?

– Sí, dígame.

– Aquí de parte de Turismo Mundobello quiero hacer/confirmar una reserva.

– ¿El nombre, por favor?

– _____ .

– ¿Para cuántas personas?

– Para cuatro – dos adultos y dos niños.

– ¿Para qué fecha?

– Desde el dos hasta el ocho de agosto.

– ¿Pensión completa o media pensión?

– Media pensión.

– Pues, le repito: cuatro personas, media pensión del dos al ocho de agosto.

– ¿Sería tan amable de mandar la confirmación por escrito?

– Vale.

– Gracias, adiós.

A confirmar

TURISMO MUNDOBELLO

Reserva hecha ayer en nombre de Ríos. Albergue Juvenil. Grupo escolar mixto (doce) - del 27 al 31 de julio. Necesitan alquilar sábanas.

TURISMO MUNDOBELLO

Cliente: Ribera - cinco hombres
Fechas: 14 - 19 septiembre
Tipo: Hotel parador pen comp.

TURISMO MUNDOBELLO

Cliente: Puenta - tres señoritas
Fechas: 3 - 21 agosto
Tipo: Apartamento Antemare

A reservar

TURISMO MUNDOBELLO

Cliente: Pozo - padre y dos niños
Fechas: 22 - 31 julio
Tipo: Camping la Ballena Alegre

b Escribe al hotel Santa María para hacer una reserva. Completa la carta usando los dibujos.

> Estimado señor/a
>
> Nos gustaría pasar las vacaciones en [🏨] durante [1234 567] . Somos una familia grande de [👵👴] y [👦👧] y un [👶] . Quisiera reservar [🛏×2] ; una con [🚿] y una con [🛁] .
>
> También me gustaría recibir [🏨] y una [🗺] .
>
> Quedo de usted
>
> Atentamente

2 Hospedarse

a Lee la información del hotel.

> ### Hotel Caimán
>
>
> Estimados clientes
> La Dirección informa que
>
> - no se permite fumar en el comedor.
> - hay que ducharse antes de entrar en la piscina.
> - la sala de juegos se encuentra en el primer piso.
> - se les ruega entregar la llave a la recepción antes de salir.
> - se debe informar a la gerencia si hay algo roto o que no funciona.
> - la sauna abre a partir de las once.
> - hay servicio de lavandería y limpiabotas.
> - está prohibido todo ruido o música alta después de las once y media.
>
> Gracias por su cooperación.

b ¿Verdadero (✓) o falso (✗)?

1 Hay que guardar la llave en su persona.
2 Se ducha antes de nadar en la piscina.
3 La sauna no funciona.
4 Se puede lavar la ropa y limpiar los zapatos.
5 Hay que mantener silencio antes de las once.
6 Los niños pueden jugar en el primer piso.

3 A ti te toca

Imagina que estás pasando tus vacaciones en el hotel Caimán. Escribe una postal.

▼ Escribe unas 40 palabras explicando cómo es.

▲ Escribe unas 90 palabras explicando las reglas del hotel y si te gustan o no.

> (No) se puede ...
> (No) se permite ...
> Hay que ...
> (No) se debe ...

4 ¡A sus órdenes!

a Lee las preguntas.

1 ¿Cuánto vale la media pensión?
2 ¿Se puede alquilar sábanas?
3 ¿Hay enchufe para máquinas de afeitar?
4 ¿Dónde se encuentran las duchas?
5 ¿A qué hora se sirve la cena?
6 ¿Es posible guardar nuestras cosas de valor?

b 🎧 Escucha. Busca la respuesta adecuada.

A El único sitio que me queda está allí al lado de la basura.

B A partir de las siete y media de la noche.

C Sí, hay, pero no funciona en este momento.

D Por supuesto – el alquiler vale tres euros la noche.

E Hay una caja fuerte en la recepción si quiere entregarlas allí.

F Sí, está entre el water y la ducha.

G Allá atrás de las parcelas al lado de la lavandería.

H Vamos a ver ... cuesta 55 euros por día.

¿Qué tal el hotel?

1 Hay un problema

a 🎧 Escucha. ¿De qué se quejan?

A El ascensor no funciona.

B No hay jabón en el lavabo.

C Necesito una almohada extra.

D La persiana está rota.

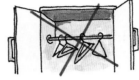

E No me han cambiado las sábanas y están sucias.

F El water está atascado.

G Hacen falta perchas para la ropa.

H Hace falta papel higiénico – se acabó.

b 👥 Practica el diálogo con tu compañero/a.

> **Recepcionista** Buenos días. ¿Cómo le va?
>
> **Tú** Muy mal, no he dormido en toda la noche.
>
> **R** Lo siento mucho. ¿Qué le pasó?
>
> **T** En la habitación al lado tuvieron la radio a todo volumen/dieron una fiesta ...
>
> **R** Les hablaré de esto en cuanto sea posible.
>
> **T** ... Además, la almohada/la silla no sirve para nada ...
>
> **R** Se la cambiaré en seguida.
>
> **T** ...y encima de todo las toallas/las sábanas están sucias ...
>
> **R** Se las traigo limpias inmediatamente.
>
> **T** ... y por último no encuentro mi pasaporte/mis llaves.
>
> **R** No se preocupe usted, lo/las tengo guardado/as en la caja fuerte/recepción.

c 👥 Inventa otro diálogo cambiando las quejas. Grábalo en un casete.

2 ¿Dónde está ...?

Lee las frases. ¿Cuántos errores hay?

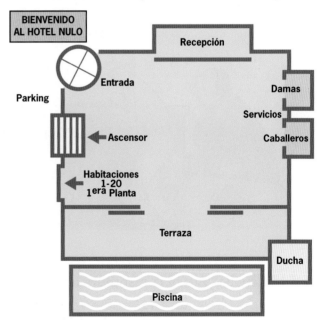

1 La recepción está en la entrada principal.
2 Hay tres ascensores.
3 Hay más de 30 habitaciones.
4 Hay una terraza grande que da al mar.
5 La piscina está detrás del hotel y tiene ducha.
6 Hay servicios en cada planta.

3 El libro de reclamaciones

a Lee la lista de quejas de un cliente insatisfecho.

> **HOTEL NULO**
>
> a sus órdenes ...
>
> *ascensor no funciona*
> *falta de jabón*
> *insuficientes perchas*
> *no daba a la piscina*
> *demasiado ruido de la disco*

b Escribe una carta de reclamación.

Al Hotel Nulo
Callejón Sin Salida
Tierra Fingida

Tu dirección
La fecha

Muy Señor mío:
Le escribo para decirle que mi familia y yo no disfrutamos de las vacaciones como esperamos. De hecho nos quedamos muy insatisfechos durante los quince días que estuvimos en
su hotel ...

En espera de su pronta respuesta
quedo a su disposición
atentamente

4 Casi un desastre

a 🎧 Escucha y reorganiza las frases.

b Escribe la tarjeta en forma correcta.

c Escribe una tarjeta contando un problema que tuviste durante las vacaciones.

> Nerja - agosto
> Al llegar al hotel todo parecía de maravilla ...
>
> Mi papá se puso furioso y
> - calor, ni una nube en el cielo
> En fin nos alojaron
> Pedimos nuestro cuarto y
> y nos compensaron con el desayuno gratis.
> y el mar estaba cristalino.
> mi mamá trató de calmar la situación
> en un anexo bastante moderno pero muy pequeño
> nos dijeron que no sabían nada de nosotros.
> y nosotros tres sólo queríamos ir a la playa.
>
> Lo pasamos rico. Mar, siesta, comida y disco durante siete días - la locura.

Gramática

The preterite tense page 176

This is also called the **simple past tense**. It is used to describe or refer to an action that **began** and **ended** in the past.

To form the preterite of regular verbs:

- Take the infinitive: viaj**ar**   com**er**   sal**ir**
- Remove the ending: viaj   com   sal
- Add these endings: viaj**é**   com**í**   sal**í**

           viaj**aste**   com**iste**   sal**iste**

           viaj**ó**   com**ió**   sal**ió**

           viaj**amos**   com**imos**   sal**imos**

           viaj**asteis**   com**isteis**   sal**isteis**

           viaj**aron**   com**ieron**   sal**ieron**

1 Pregunta y contesta.

¿Cómo viajaste?
¿Qué comiste?
¿A qué hora saliste?

¿Cómo viajasteis?
¿Qué comisteis?
¿A qué hora salisteis?

Viajé ...
Comí ...
Salí ...

Viajamos ...
Comimos ...
Salimos ...

2 Use these verbs to write some questions.

alojarse   comprar   ver   visitar   beber

Now write some suitable answers to your questions.

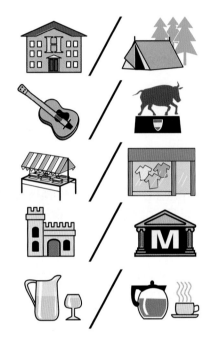

Some common irregular preterites

page 176

ir – to go	**ser** – to be	**estar** – to be
fui	fui	estuve
fuiste	fuiste	estuviste
fue	fue	estuvo
fuimos	fuimos	estuvimos
fuisteis	fuisteis	estuvisteis
fueron	fueron	estuvieron

hacer – to do/make	**ver** – to see	**tener** – to have
hice	vi	tuve
hiciste	viste	tuviste
hizo	vio	tuvo
hicimos	vimos	tuvimos
hicisteis	visteis	tuvisteis
hicieron	vieron	tuvieron

Notice that the preterite forms of *ir* and *ser* are the same. You will find more examples of common irregular verbs on page 184.

3 Pregunta y contesta.

> ¿Fuiste a ...?   ¿Fuisteis a ...?
> Sí./No fui.   Sí./No fuimos.

4 Write about this imaginary last day of a holiday.

Ya _____ (llegar) el último día. A las diez

_____ (levantarse) y _____ (ir) enseguida

 . ¡Allí _____ (pasar) muchas horas al sol!

A eso de las dos _____ (decidir) regresar [🏨] .

Primero _____ (ducharse) y después _____

(bajar) al comedor donde _____ (comer) [🐟] .

No _____ (querer) tomar una siesta porque

_____ (tener) que hacer la maleta. Luego _____

(salir) a [🧢✏️] y de paso _____ (tomar) la

última copa en mi bar favorito. A las siete en punto

_____ (coger) [🚕] . _____ (estar) muy

contento.

Words, words, words ...

It is important to build up as wide a body of vocabulary as your memory can cope with. There are several ways you can do this. Here are some ideas – choose ones which suit you.

- Keep a vocabulary notebook:

Spanish in one English in the other
column

You could colour-code words:

masculine and feminine

el chico   la chica

words which do not follow the rules

la mano   el día

- Learn to recognize words from Spanish to English and vice versa.

- Each time you go over a topic, check:
  How many words can you remember?
  How many words can you guess?
  How many words have you forgotten?

Write them out on a post-it or card. Stick them up over your bed and say them aloud before you go to sleep!

Are there any new words you want to add to your list? Don't add just for the sake of making a list – ask yourself if you really need the word.

1 Now practise with the topic of free time or home life.

- It is a good idea to create categories and then make lists and add to them:

Muebles   Fruta   Legumbres   Colegio
Asignaturas

- It helps if you record (new) words: pronounce them carefully, pause between words and then fast forward or rewind and check how many you can remember – especially out of context. You could even sing a list of new words to your favourite tune!

- Try breaking up new words to learn them: *boca-dillo*.

2   Try this with a partner.

A says a syllable, e.g. *bar*.
B adds the rest of the word: *rio* or *co*.

- Make up spidergrams:

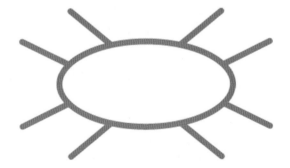

Listening

- Relate the question to a specific part of the text. If you hear *¿Cómo se llama ...?* you should look for *nombre* or *apellido*. If you hear *¿Dónde vive?* you should look for *dirección*.

1 Which questions would be linked to the following: *edad, cumpleaños, pasatiempos?*

- Make a note of details – such as the exact time or day – while listening.

- Look back at the house descriptions on page 19 and remind yourself of the abbreviations. You can make up your own abbreviations for key vocabulary.

2 Make a list of suitable abbreviations for these topics: school subjects, food, home, family

- Try to predict or anticipate words or details from the context:

casa ➡ muebles – cuartos – jardín – garaje

3 Conjure up a mental list of useful words to go with these:

habitación (grande, pequeña, individual, compartida)

amigo/a   transporte
barrio   alojamiento

- Take great care over little words like *no*. There is a big difference between

No me gusta el deporte and
No, me gusta el deporte.

- Be sure to distinguish between a question and a statement:
¿Es grande? or *Es grande.*

- Repeat words you hear in your head, especially in the pauses.

- **Do not write** whole sentences whilst you are listening.

Reading

- You do not have to understand absolutely every word!

- Look at the whole passage – the structure sometimes helps, as each paragraph will deal with a new aspect.

- Questions often follow the structure; but be careful, as this is not always the case.

- Read the text three times:

1 to identify words you know and link them to the questions
2 to concentrate on whole sentences and link each part to the relevant question
3 to concentrate on the words you do not understand – decide how relevant they are to the question.

- Identify verbs: which tense are they in? Which person is doing the action?

¿Animales en vía de aparición o desaparición?

No sólo los animales exóticos y lejanos sino tambié los más cercanos son amenazados por el hombre y el comercio. El oso a principios de siglo erraba por los Pirineos. Hoy en día hay pocos pero poquísimos que andan salvajes en su hábitat natural.

Cosa extraña es que al mismo tiempo en que hablamos del peligro de extinción de ciertas especies podemos citar otras nuevas que han aparecido durante el siglo veinte.

1 Read this example.

a Note down the words

- you know
- which are like English words
- which look similar to a Spanish word you know.

b For each of the verbs underlined say

- which tense it is
- which person it is.

1 Comer y rascar – todo es empezar

a Lee.

¿Dónde comer?

A — Se come muy bien en cualquier lugar – en bares y restaurantes.
¡Cuidado, hay muchos nombres distintos!

B — Venta, Posada, Mesón y Fonda son nombres antiguos para restaurantes típicos donde se puede comer a buen precio.

C — Los chiringuitos son kioskos de la playa.
Los restaurantes cierran un día a la semana por lo general.

D — Es buena idea llamar por anticipado para pedir una mesa.

¿Cómo vestirse?

E — Tenga en cuenta el lugar, la hora y los otros clientes.

¿Qué se come?

- un plato combinado (carne o pescado con patatas fritas y verdura) a buen precio y suficiente — **F**
- el menú del día (entremés, plato fuerte y postre) a precio fijo, sin gran variedad — **G**
- menú de degustación – las especialidades del restaurante – platos 'gourmet' — **H**
- vegetariano – es mejor preguntar porque muchas ensaladas o tortillas tienen carne o jamón — **I**
- niños – bienvenidos donde sea – pida una porción especial — **J**

— **K**

Propina 5% a 10% depende de usted y su opinión de la calidad. No olvide la IVA del 7%. — **L**

b 🎧 Escucha. ¿Qué quieren saber?

▼ Apunta la referencia A–L.
▲ Apunta la pregunta.

c 👥 Pregunta y contesta sobre el informe.

> ¿Qué es una posada?

> Es un restaurante ...

2 Quiero una mesa

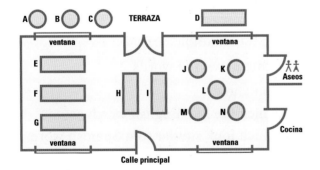

a 🎧 Escucha. ¿Cuál mesa escogen? ¿Cuál rechazan?

b 👥 Inventa y practica otros diálogos. Grábalos en un casete.

¿Hay una mesa ...	para ... personas?
	que da a la terraza?
	en el rincón/adentro/afuera/ cerca de/lejos de/al lado de/ en pleno centro?

3 ¿Tomamos tapas?

a Lee.

> ¿Has comido tapas alguna vez antes?

> No creo. ¿Qué son tapas?

> Bueno, pues es algo muy típico. En Andalucía durante el siglo 19 cuando se tomaba el jerez, el barman cubría la copa con un platito para taparla contra las moscas. A veces ponía un pedacito de queso o unas aceitunas para acompañar la copita de jerez – ¡gratis! Hoy en día es algo mucho más complicado. Hay una variedad enorme de platos fríos y calientes: carne, pescado, legumbres, mariscos – toda clase de comida ¡y hay que pagar!

> ¿A qué hora se comen?

> A cualquier hora del día – cuando quieras y como quieras.

b ☐ Mira el menú. ¿Cuántas palabras conoces ya?

LA COSTA DE VEJER	
ESPECIALIDAD EN RACIONES DE	PICADILLO CASERO
	PATATAS BRAVAS
	PINCHO MORUNO
GAMBAS A LA PLANCHA	ENSALADA
GAMBAS AL AJILLO	PARA 1 PERSONA
GAMBAS COCIDAS	ENSALADA
LANGOSTINOS COCIDOS	PARA 2 PERSONAS
LANGOSTINOS	
A LA PLANCHA	**BOCADILLOS**
CALAMARES FRITOS	PEPITO DE TERNERA
CHOCO FRITO	LOMO ADOBADO
SEPIA A LA PLANCHA	CHORIZO CANTIMPALO
CHAMPIÑÓN	BEICON A LA PLANCHA
A LA PLANCHA	TORTILLA FRANCESA
QUESO MANCHEGO	CALAMARES FRITOS
JAMÓN SERRANO	ANCHOAS
CHORIZO CANTIMPALO	QUESO MANCHEGO
	JAMÓN SERRANO

c 👥 Practica estos diálogos. Cambia las tapas cada vez.

1 – ¿Quieres probar las angulas?

– Angulas, ¿qué son en inglés?

– Son baby eels. A ver si te gustan.

– Me parecen un poco saladas.

2 – Pásale las aceitunas rellenas.

– ¿Qué hay en la mitad?

– Algunas tienen almendras y otras pimentón.

– Gracias, pero no me gusta el pimentón./Gracias, voy a probarlas.

3 – ¿Me puedes pasar los boquerones?

– ¿A qué saben?

– A vinagre dulce.

4 🎧 ¿Qué tomamos?

Escucha. ¿Qué les gusta? Escribe unas letras para cada persona.

Ejemplo: 1 A, E

A   B  C

D   E   F   G

Buen provecho

1 ¿Qué pido?

a ☐ ¿Cuántos platos conoces ya? Adivina los que no conoces. Luego búscalos en el diccionario.

Restaurante La Barraca
Especialidad de la casa: Paella valenciana (2 pers min)

Entremeses
Ensalada mixta
Cóctel de gambas
Tortilla

Sopas
Gazpacho andaluz
Sopa casera

Verduras y legumbres
Espinacas
Judías verdes
Menestra de verduras
Guisantes
Patatas bravas

Postres
Flan de caramelo
Helados y sorbetes
Fruta fresca de la época
Natillas
Crema Catalana
Tártara abuela
Plato de queso sobre demanda

Carnes
Chuleta de ternera
Cordero al horno
Bistec a la plancha

Aves
Pollo al ajillo
Codorniz

Pescado y mariscos
Bacalao
Calamares en su tinta
Trucha con almendras
Sardinas

Bebidas
Agua mineral
Zumo de frutas
Vino blanco Penedés
Vino tinto de la Rioja
Cerveza
Cava

Servicio incluido

c 👥 Inventa otros diálogos.

– Camarero, la carta, por favor.
– Enseguida voy.
– ¿Qué recomienda usted?
– Para comenzar ...
– Pues yo quiero ...
– ¿A ti qué te traen?
– A mí me trae ...
– Y después, ¿qué hay?
– Hay ...
– Para él le trae ...
– ... y a ella le trae ...
– ¿Y con esto?
– ???
– ¿Qué van a tomar?
– ???
– ¿Y de postre?
– ???

– ¡Qué aproveche!

– La cuenta, por favor.
– Gracias, señora. El servicio está incluido.

b 🎧 Escucha el diálogo y anota lo que se pide.

Me gustaría ver el menú			
¿Qué recomienda usted?			
Voy a	tomar	una ensalada	un bistec
Quiero	comer	una chuleta de ternera	una tortilla
	probar	las espinacas	el pescado el flan
	beber	agua mineral sin gas	un vino tinto de la casa
Para mí/ti/él/ella/nosotros/vosotros/ellos/ellas			

2 Platos típicos

a Mira el mapa. ¿De qué región es cada plato típico?

b Prepara un menú para una noche española en tu colegio.

¿Qué platos vas a incluir y por qué?

Puedes presentar el menú en forma artística o usando el ordenador.

Bacalao

Fabado

¿Queso Manchego?

¿Butifarra?

¿Ali-oli?

¿Chorizo?

¿Yemas?

¿Turrón?

Paella

Gazpacho

Migas

¡Mmm ... huele rico!

Sabe a ajo.

Tiene sabor a miel.

Es un poco ácido/amargo.

Está riquísimo.

c En grupos prepara una escena en un restaurante.

Escribe un diálogo y representa la escena para el resto de la clase.

Está un poco salado.

Un poquito, por favor.

Lo siento, no me gusta.

Está buenísimo.

¿Qué tal la visita?

1 Me quejo

a Lee la historia y mira los dibujos.

Le voy a contar la historia del restaurante más loco del mundo.

Entramos y nos dieron una mesa - ¡en la terraza cuando hacía un frío terrible!

Para empezar y calentarnos pedimos un buen vino de la casa. ¡Madre mía, qué vino más agrio!

Luego mirando la mesa vi que hacían falta una cuchara y dos tenedores.

Además el mantel estaba muy sucio.

'Camarero, hágame el favor de cambiar este mantel', le dije y me contestó con una sonrisa grande:

'Voy a cambiarlo después de comer.'

Algo confusos decidimos pedir el menú. Ni se diga - ¡fue un catálogo de desastres!

A mi madre le trajo un pescado grande cuando había pedido unas chuletas de cordero.

A mi nieta le trajeron dos postres que, claro, comió con gusto.

El pollo mío estaba crudo.

Al contrario el bistec de mi abuelo estaba tan bien hecho que parecía una suela gastada.

Y para colmo las patatas estaban tan saladas que nadie las pudo comer.

Va sin decir que la comida fue un desastre. Después nos trajeron café y la mitad la demarraron por la mesa.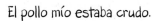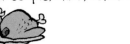

No quise pagar la cuenta y me invitaron a usar su libro de reclamaciones.

b 👥 Inventa el diálogo que tuvo lugar en el restaurante. Basa tus ideas en el cuento que acabas de leer.

c Rellena el libro de reclamaciones de parte de la familia del cuento.

Ejemplo: mesa equivocada ...

A mí me falta(n) a ti te falta(n) a él/ella le falta(n)		
a nosotros nos falta(n) a vosotros os falta(n) a ellos/ellas les falta(n)		
Este plato/mantel/pollo/vino	está	sucio/crudo/agrio
Esta copa/mesa/chuleta		rota/equivocada/quemada
Haga el favor de	cambiarlo/la	traer uno/a limpio/a
Voy a cambiarlo/la enseguida.		
Se lo/la traigo inmediatamente.		

2 Palma de Mallorca

a ∩ Escucha. ¿Qué tienen la intención de hacer? ¿Cuál de las fotos corresponde?

[... 1. 73–76]

A

B

D

b ∩ Escucha otra vez. ¿Qué opinan?

fue aburrido	me gustó mucho	lo pasamos muy bien	fue increíble
excelente	impresionante	me quedé desilusionado/a	
me pareció horrendo/no me gustó			

c ¿De cuál foto hablan?
▼ Empareja el lugar con la opinión.
Ejemplo: catedral = impresionante

▲ Escribe una frase.
Ejemplo: Fui a la catedral y me pareció impresionante.

3 ∩ ¡El último día!

a Escucha. ¿Adónde fueron? ¿Qué hicieron? Pon los dibujos en el orden correcto.

A

B

D

C

E

b ¿Qué opinaron? Escucha otra vez y busca tres opiniones.

4 ⚎ A ti te toca

Cuenta a tu compañero/a de tus vacaciones en Mallorca o en cualquiera de los lugares de este módulo. Pregunta y contesta. ¡Inventa los detalles!

¿Adónde fuiste?

¿Con quién fuiste? ¿En grupo/con amigos/con familia?

¿En qué época del año fue?

¿Qué tiempo hizo?

¿Qué hiciste de interesante?

¿Visitaste algo/un monumento?

¿Cómo viajaste?

¿Qué compraste?

¿Qué comiste?

¿Qué aspecto te gustó/no te gustó?

¿Por qué?

1 Correos

AVISO IMPORTANTE

La manera más rápida de mandar una carta es por correo urgente o certificado. Hay cuatro tarifas: Unión europea, el resto de Europa, los EE UU y el resto del mundo. Los paquetes hay que pesarlos y atarlos bien con cuerda. Lo más seguro es mandarlos por el servicio Paquete Azul.

Horas de apertura:
- Sucursales principales
  8h–21h lunes a viernes
  9h–19h sábados
  Cerrado domingos
- Afueras y pueblos
  9h–14h lunes a viernes
  9h–13h sábados
  ¡No olviden el código postal!

Quiero saber ...

1 Vivo en las afueras. ¿Correos está abierto a las 16h?

2 Quiero que mi carta llegue rápido. ¿Cómo hago?

3 Tengo un paquete sellado con cinta pegante. ¿Lo aceptarán?

4 Quiero que mi paquete llegue seguro. ¿Qué servicio uso?

5 Quiero echar una carta el domingo. ¿La recogerán?

2 ⌒ ¿Sabes enviar un fax?

Escucha las instrucciones. Indica si las frases son correctas o no. Corrige las incorrectas.

1 Siempre hay que usar el mismo número de teléfono.

2 Puedes poner el papel donde quieras.

3 El fax se transmite solo.

4 Hay que esperar un sonido.

5 Si no tienen terminal no se puede enviar un fax.

3 En el banco

a ⌒ Escucha y lee el diálogo.

– Buenos días. Necesito cambiar unos cheques de viaje.

– ¿Cuánto quiere usted?

– Quisiera 50 libras esterlinas, por favor.

– Rellene el formulario, por favor. Ponga la cantidad aquí y firme allí.

– ¿Así es como dice?

– Vale – ahora vaya a la caja de cambio.

– Cámbieme este cheque, por favor.

– ¿Su pasaporte o tarjeta de identidad?

– Tenga.

– Aquí tiene su dinero.

– Gracias.

– Cuente los billetes. Es mejor revisar todo.

b Empareja las palabras para hacer frases. Hay varias posibilidades.

1	Rellene	**a** la cantidad aquí
2	Ponga	**b** la fecha
3	Cámbieme	**c** aquí, por favor
4	Firme	**d** su pasaporte, por favor
5	Vaya	**e** este formulario
6	Escriba	**f** los billetes
7	Muéstreme	**g** la cantidad
8	Tenga	**h** este cheque, por favor
9	Cuente	**i** su carta de identidad
10	Revise	**j** a la caja de cambio

	tú	usted
firm**ar**	firm**a**	firm**e**
volv**er**	v**ue**lve	v**ue**lva
ten**er**	**ten**	**ten**ga
escrib**ir**	escrib**e**	escrib**a**
ir	**ve**	**vaya**

4 Cambio

a Lee.

CONSEJOS AL VIAJERO

Usted y su dinero de vacaciones
- Tenga en cuenta las horas de apertura de los bancos: lunes a viernes 9–14h, sábados 9–13h.
- Anote los números de sus cheques de viaje.
- Revise la cantidad después de cambiar dinero.
- En caso de pérdida vaya al banco más cercano. Vaya a la comisaría a denunciarlo si es un robo.
- Guarde su pasaporte, sus cheques de viaje, dinero y demás cosas de valor en un lugar seguro – una caja fuerte si es posible.
- A partir del primero de enero de 2002 sólo el euro tiene valor.

b ¿Qué son estas palabras claves?

canbo   sadomen   tacune   shuqece   telsileb

c Pon estas frases en orden inteligible.

1 un dinero lugar su guarde en seguro
2 viaje números de anote sus de los cheques
3 euro enero valor a sólo tiene partir el de
4 bancos las cuenta de los tenga apertura en horas de

5 Cajero automático

a ⌒ Escucha y lee.

b 👥 Explica a tu compañero/a cómo se hace.

Ejemplo: ¿Te ayudo? Primero hay que ...

CAJERO AUTOMÁTICO ESTIMADO CLIENTE

Introduzca su tarjeta.

Anote su clave.

Seleccione la transaccion que requiere – cuenta corriente / de ahorro / rapida.

Marque el número de la cantidad deseada.

Pulse el botón de acuerdo con la denominación deseada.

Revise bien la cantidad recibida.

Recoja su tarjeta y recibo.

6 ⌒ Quiero alquilar ...

Escucha. ¿Qué alquilan estas personas? ¿Por cuánto tiempo? ¿Para cuántas personas? ¿Cuánto cuesta?

¡Qué problema!

1 Objetos perdidos

a ¿Qué han perdido? Empareja los objetos con sus dueños.

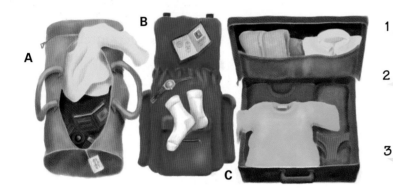

1 Mi mochila es azul, grande y contiene mi pasaporte, mi reloj y unos calcetines nuevos.

2 Mi bolso es verde, de deporte, con mi nombre y dirección. Contiene mi billetero, mi cámara y un jersey.

3 Mi maleta es de cuero de imitación con toda mi ropa. No lleva mi nombre.

b Practica el diálogo.

- ¿Me puede ayudar, por favor?
- ¿Qué le pasa a usted?
- He dejado mi bolso en el autocar.
- ¿A qué hora más o menos?
- A eso de las once, creo.
- ¿De qué color es?
- Es verde con una etiqueta NafNaf.
- ¿Qué tamaño es?
- Pues, ni grande ni pequeño.
- ¿Qué contiene?
- Pues, tiene unos efectos personales.
- Y ¿lleva su nombre?
- Sí, mi nombre y mi dirección.

c Inventa otros diálogos.

¿Qué ha perdido usted?

¿Dónde ha estado usted últimamente?

¿Cuándo cree que lo perdió?

¿Cómo es? ¿Puede describírmelo?

¿De qué material es? ¿De qué está hecho?

¿Cuánto vale más o menos?

¿Tiene alguna marca especial? ¿Qué marca es?

2 He dejado olvidado ...

Has perdido algo en un hotel. Escribe una carta al gerente. Mira el ejemplo de abajo.

Estimado señor/señora

El mes pasado mi familia y yo pasamos quince días en . Estuvimos en la en el  **2°** . Mi hijo Sam no encuentra sus y cree que las ha dejado . Son y de marca Nike. Si usted las encuentra haga el favor de enviarlas a la dirección de arriba/llamar a este número de teléfono ...

Quedo de usted atentamente

3 Conducir en España

Instrucciones

Si necesita ayuda pulse el botón correspondiente. Permanezca a la espera.

a Lee y anota los detalles.

b 🎧 Escucha. ¿Cuál de las situaciones se describe?

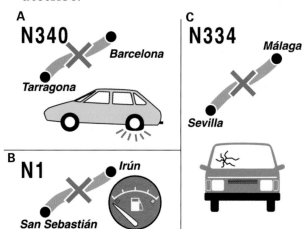

c 👥 Inventa otros diálogos usando el ejemplo.

d 👥 Practica esta conversación telefónica.

- ¡Dígame!
- Oiga, me llamo Alonso y mi coche está averiado.
- ¿Qué le pasa?
- No tengo la menor idea.
- ¿Dónde está usted?
- Aquí en el autopista, teléfono número 25.
- ¿Qué marca de coche tiene usted?
- Es un Citroën AX, azul oscuro.
- ¿Y la matrícula?
- B 4052 N.
- Voy a mandar una grúa. Llegará dentro de un cuarto de hora.
- Mil gracias.

4 A ti te toca page 80

▼ Escribe una tarjeta postal describiendo una avería que te pasó en vacaciones. Usa los dibujos de esta pagina para ayudarte.

▲ Escribe un cuento (no más de 90 palabras) de una avería que te pasó en vacaciones.

¿Dónde estabas?

¿Cómo viajabas?

¿Qué pasó al coche/bici/a ti?

¿Qué hiciste?

¿Cómo se resolvió?

Me siento mal

1 ¿Qué tienes? ¿Qué te pasa?

a Escucha. ¿Quién es?

Ejemplo: 1 = Pilar

Sra de Loyola   Héctor Rodríguez   Pilar Pontevedra   Marta de Redondo   Manuelito García   Toni Vergara

b ¿Qué tiene? Identifica su mal.

▼ Di lo que tiene.
▲ Escribe lo que tiene.

Me/te/le duele(n)	la garganta/la cabeza/los dientes/el oído
Tengo/tiene	frío/calor/fiebre
	dolor de espalda/del estómago
	gripe/tos/hipo/insolación
Estoy	deprimido/a mareado/a

2 ¡Tengo dolor de barriga!

a Escucha y lee la conversación.

– Oiga.
– Dígame.
– ¿Es el consultorio del doctor Rodríguez?
– Sí, señora. ¿En qué puedo ayudarle?
– Es que tenemos a un invitado en casa y tiene dolor del estómago. Quiere ver a un médico.
– ¿Tiene cita?
– No, éste es el problema. Es extranjero además.
– Sin cita previa será imposible darle hora hoy. Estamos colmados.
– ¿Qué me aconseja entonces?
– ¿Por qué no se va a la farmacia si es nada más que una indigestión o algo parecido?
– Bueno, gracias, iremos a la farmacia.

b Contesta a las preguntas.

1 ¿Cómo se llama el médico?
2 ¿Qué le pasa al invitado?
3 ¿Qué necesita para ver al médico?
4 ¿Por qué es imposible hoy?
5 ¿Dónde puede conseguir ayuda?

3 Consejos de salud

a Busca una solución a cada problema. Escribe la frase entera. Hay varias posibilidades.

1 Si te duele la garganta …
2 Si tienes dolor de cabeza …
3 Cuando te sientes mareado/a …
4 Si tienes ganas de vomitar …
5 Si tartamudeas …
6 Si tienes fiebre …
7 Cuando te duele la espalda …
8 Si tienes sed …
9 Cuando tienes dolor de barriga …
10 Si te cortas el dedo …

a acuéstate a dormir.
b toma una aspirina.
c bebe agua.
d pon un esparadrapo.
e ve al médico.
f mira fijamente el horizonte.
g toma una cucharada de jarabe.
h ponte una crema.
i golpea la mesa con la mano.
j toma una alkaseltser.

b Compara tus soluciones con las de tu compañero/a. A turnos di lo que tienes y da un consejo.

Ejemplo:

Me duele la garganta.
Debes tomar una cucharada de jarabe.

4 Tuve un accidente …

a Lee y contesta a las preguntas.

> Queridos tíos
>
> Aquí me tenéis recuperando en una clínica moderna. Tuve un accidente de moto hace dos días. Al principio perdí conocimiento de todo lo que pasó pero ahora poco a poco estoy recordando los detalles. Estaba conduciendo por la carretera principal. Me parece que hubo mucho sol y el resplandor del espejo me cegó momentáneamente y ¡cataplán! ¿Cómo que no vi un camión grande que estaba veniendo hacia mí por el otro lado de la carretera? Dicen que tengo mucha suerte y el casco que llevaba me salvó de heridas graves en la cabeza. Desgraciadamente me duele todo el cuerpo y tengo el hombro derecho dislocado y la pierna izquierda está rota en varias partes. Mañana o pasado mañana van a llevarme en ambulancia al aeropuerto donde me van a trasportar a casa por el servicio de ambulancia voladora. Menos mal que papá insistió sobre un seguro. Espero veros pronto. Un abrazo fuerte de
> vuestro sobrino Leo que os quiere mucho.

1 ¿Dónde se encuentra Leo?
2 ¿Por qué está allí?
3 ¿Qué le pasó (en detalle)?
4 ¿Por qué dice que tiene mucha suerte?
5 ¿Cómo va a llegar a casa?

5 A ti te toca page 81

Escribe sobre un accidente que te pasó en vacaciones.

¿Qué estabas haciendo?
¿Cómo estabas viajando?
¿Qué pasó exactamente?

The imperfect tense

page 177

The imperfect tense is used to describe what something was like in the past, or to talk about what was happening or used to happen at a certain time in the past.

Most verbs follow this pattern:

-ar	-er	-ir
estudi**aba**	com**ía**	sub**ía**
estudi**abas**	com**ías**	sub**ías**
estudi**aba**	com**ía**	sub**ía**
estudi**ábamos**	com**íamos**	sub**íamos**
estudi**abais**	com**íais**	sub**íais**
estudi**aban**	com**ían**	sub**ían**

There are only three irregular imperfect tenses; make up a way to remember them.

ir	ser	ver
iba	era	veía
ibas	eras	veías
iba	era	veía
íbamos	éramos	veíamos
ibais	erais	veíais
iban	eran	veían

1 Complete this text in which an elderly lady remembers her childhood.

Cuando yo _____ niña _____ en una casa pequeña, pero _____ un patio grande. Mi habitación _____ en el primer piso y _____ un balcón bonito. Mis hermanos _____ en el jardín y también todos _____ en el huerto. Me _____ la vida sencilla de aquellos tiempos.

jugaban	estaba	trabajábamos	era
vivíamos	tenía	gustaba	había

2 👥 Your partner is going to interview you about when you were at junior school. Make up questions and answers using the following verbs.

Example: *llamarse*

¿Cómo se llamaba tu colegio?

Mi colegio se llamaba …

tener … años estar en primaria

llevar uniforme hacer deporte

estudiar asignaturas

comer en casa o en la cafetería

hora de comenzar y de salir

ser buen estudiante

ir los sábados por la mañana

3 Choose a famous person and describe how (you imagine!) they were at the age of ten.

The past continuous

page 177

This tense describes what was happening at the time being spoken or written about. To form it, you use the imperfect tense of the verb *estar* followed by the present participle of the verb of action:

estaba			
estabas			
estaba	**-ar**	**-er**	**-ir**
estábamos	estudi**ando**	com**iendo**	sub**iendo**
estabais			
estaban			

1   *¿Qué estaban haciendo?* What were they doing?

It is also used to describe what was happening (past continuous) when something else occurred (preterite). This is sometimes referred to as interrupted action.

¿Qué estabas haciendo cuando te llamé por teléfono?

¡Caramba! Estaba durmiendo cuando me llamaste por teléfono.

2   Write sentences to describe these actions:

- dancing on the table when the teacher walked in
- playing tennis when it began to rain
- taking a shower when the dog came in

3   👥 Ask your partner what he/she was doing at different times yesterday.

Writing

- Underline the details required in the question or instruction.
- List the words and phrases you need for the task.
- Check anything you are not sure about:
  – vocabulary, in your dictionary or word lists
  – grammar, in the relevant section at the back of your coursebook.
- Try to write something, however brief, on each point to demonstrate that you have understood the task.
- Tick off each point as you cover it.
- Write fairly simple sentences to begin with.
- When you feel sure about the task try to link up sentences with words like:

> que   y   pero   porque   de modo que
> de manera que

> ¡Hola! Me llamo Roberto. Tengo trece años. Vivo en Bristol. No me gusta. Es aburrido. Me gusta el deporte. Voy al polideportivo bastante.

> ¡Hola! Me llamo Roberto y tengo trece años. Vivo en Bristol pero no me gusta porque es aburrido. Me gusta el deporte de manera que voy al polideportivo bastante.

- Try not to use the same words used in the question. Using opposites shows the breadth of your vocabulary:

  fácil – difícil   limpio – sucio
- Try to include an opinion and justify it:

  No me gusta ... porque es injusto.

- Ask questions of your own:

  ¿Qué tal? ¿Qué te parece? ¿Te gusta? ¿Te gustó?
- Try to include references to the future and to the past if you can.
- Learn a few phrases to help sequence the task.

> primero/al principio
> segundo/después
> luego
> finalmente

- Check the number of words you have written and note it at the end.
- Invent a rigorous checking system. For example:

  T - ense

  A - ccents

  P - erson/pronouns

  A - greements of masc/fem/plurals

  S - pelling

Go through your whole answer checking for each one – that way you will have looked over it five times in all but concentrating on different aspects each time.

Setting out a formal letter

There are conventional ways of writing letters that are

- requesting information
- making reservations
- complaining
- responding to information.

```
                                15 Rosemary Road
                                Manchester
                                20 de julio

Viajes Iberia
Apartado de Correos 2307
Barcelona
España
```

Look at the letter heading above.

Where does your address go?

Where is the date?

On which side of the page is the address of the person it is going to?

Is it above or below your address?

- Remember to use *usted* or *ustedes*.
- Use the conventional *Estimado señor/señora* to begin your letter.
- Answer each point carefully, including all the detail required (time, place, person etc.).
- End the letter *(Quedo de usted) Atentamente*
- Add a few more comments: *Gracias por anticipado En espera de su respuesta (inmediata)*
- Don't forget to write your address on the back of the envelope: *Rte = remitente – sender*

1 Write a letter to book the following:

2 Write and ask for the following information:

- a list of camp sites
- a map of the town and area
- train times to Barcelona

Writing informal letters and postcards

You need to use different phrases when writing to friends. Here are some examples:

¡Hola! ¿Qué tal?

Querido/a amigo/a

¿Cómo estás?

Nada más por ahora

Abrazos

Un saludo a tu familia/tus padres

... Tu amigo X

Ponte a prueba

1 🎧 Escucha. ¿Qué información piden?

▼ Copia la tabla y pon unas señales (✓).
▲ Escribe más detalles.

	🏕️	🏨	🚆	🏪	🏛️M	☀️	🍽️
1							
2							
3							
4							
5							
6							

2 🎧 Escucha. ¿Qué tiempo hizo durante las vacaciones?

3 🎧 Escucha. Alejandro habla de Bogotá.

▼ Identifica la foto.
▲ Anota unos detalles sobre la ciudad.

4 🎧 Escucha. ¿Qué han olvidado? Anota lo que falta.

1
bolígrafo
monedero
gafas de sol
cámara
pasaporte
costurero
paraguas

2
pañuelo
película
lentes
cheques de viaje
linterna a mano
libro de frases
diccionario

3
cartera
impermeable
reloj
libro
pasaporte
billete
cheques de viaje

4
billetes
reloj
gafas de sol
toalla
juguete vídeo
pilas
monedero

5 Lee el menú y escoge un sandwich adecuado para cada persona.

> Susi y Jaime son vegetarianos.
>
> La familia Guerra quiere comer carne.
>
> Los señores Jiménez quieren comer pescado.
>
> Pablo, Lola, Víctor y Julia quieren comer algo barato porque no tienen mucho dinero.
>
> La señorita Victoria no quiere queso.
>
> ¿Tú quieres comer ...? ¿Por qué?
>
> ¿Y tú amigo quiere comer ...? ¿Por qué?

Cafetería Sandwich

MIXTO especial
3,00
jamón, queso y cebolla

VEGETAL CALIFORNIA
3,20
lechuga, huevo, tomate y queso

MARINO
3,50
ensaladillo, pepino y sardines

RURAL
3,60
pollo, bacon, tomate y lechuga

MANHATTAN
4,00
salmón, lechuga, huevo y mayonesa

TRANVÍA
4,30
bistec, cebolla, lechuga y tomate

6

a Lee el informe.

BENISSA – TURISMO ACTIVO Y ALOJAMIENTO RURAL

Se sitúa entre Valencia y Alicante y aquí vas a encontrar de todo: mar con cuatro kilómetros de playa, montañas impresionantes y un espectacular centro histórico de carácter medieval. Los amantes del golf y de la equitación pueden practicar sus deportes mientras que los amantes de la naturaleza cuentan con la Sierra donde pueden hacer trekking y escalada.

Los aficionados al mar tienen mil oportunidades para todos los deportes acuáticos además que el submarinismo, o la fotografía submarina.

El albergue/hostal construido en 2001 dispone de 50 camas y calefacción central. También hay una zona para acampar (50 plazas). Algunas de las instalaciones exteriores son: piscina, campo de fútbol, canchas de tenis y caballeriza.

Tourist Info Benissa
Abierta todo el año

www.benissa.net
turismo@benissa.net

b Indica si las frases son correctas (✓) o incorrectas (✗) o si no se sabe (?).

1 Benissa está a cincuenta kilómetros de Valencia.

2 Tiene una playa grande.

3 Puedes montar a caballo.

4 No puedes jugar al golf.

5 Está lejos del mar.

6 El alojamiento es moderno.

7 También puedes hacer camping allí.

8 La oficina de turismo no está abierta durante el invierno.

Rutinas caseras

1 ¡Qué faena!

a ¿Qué estaban haciendo?

Ejemplo: 1 Clara estaba regando las plantas.

b ¿Qué pasó? Empareja las dos partes de la frase.

Ejemplo: Estaba regando las plantas cuando empezó a llover.

> llegó su papá
> empezó a llover
> el gato salió
> sus amigos llamaron
> el perro se escapó
> la alarma sonó
> encontró su reloj

2 ¿Pasado o futuro?

a 🎧 Escucha. Copia y rellena la tabla.

¿Qué hicieron?	¿Qué van a hacer?

b Escribe una frase para cada persona.

3 A ti te toca

a Escribe tres faenas que hiciste la semana pasada.

b Escribe tres cosas que vas a hacer para ayudar en casa este fin de semana.

c 👥 Pregunta y contesta.

> ¿Recibes dinero si ayudas en casa?
>
> ¿Cuánto recibes?
>
> ¿Quién te lo da?
>
> ¿Cómo lo gastas? ¿Ahorras algo?
>
> ¿Qué compras con tu dinero?

4 Vamos a desayunar

a Lee e identifica el dibujo adecuado.

1 Me encanta tomar chocolate con churros los domingos – tarde, como a las diez.

2 Todas las mañanas desayuno cereales con un zumo de naranja fresca a las siete en punto.

3 Mi desayuno preferido es un vaso de leche, pomelo y tostadas a las seis y media de la mañana.

4 No hay mejor desayuno que unos huevos fritos con bacon, salchichas, frijoles y morcilla con un tomate frito – me gusta comerlo los sábados a las once.

5 Lo único que necesito es un buen café – a veces pan con mermelada y un yogur también – a las siete de la mañana.

6 ???

b Escribe una frase para el dibujo que falta.

c En tu opinión, ¿cuál es el mejor desayuno? ¿Por qué?

¿Cuál de los desayunos es el más sano? ¿Por qué?
¿Cuál es el desayuno menos sano? ¿Por qué?

5 Sondeo

Pregunta:

1 ¿Qué desayunaste ayer? ¿A qué hora? Anota cuántas personas no desayunaron nada.

2 ¿Qué haces primero por la mañana?
3 ¿Qué haces después del cole/de las clases?
4 ¿Cómo ayudas en casa? ¿Qué opinas?

6 ∩ Las comidas

Escucha. Copia y rellena la tabla para las dos personas.

	Durante la semana			El fin de semana		
	Hora	Dónde	Qué comen	Hora	Dónde	Qué comen
Almuerzo						
Merienda						
Cena						

Vamos a celebrar

1 Dos cumpleaños en uno

a Lee la carta de Alejandro.

Mi abuelo y mi hermano menor cumplen el mismo día, de modo que siempre hay una fiesta grande en casa. Normalmente preparamos una comida deliciosa y todos los invitados se reúnen en el jardín porque hace mucho calor en la casa. Este año regalamos una bici a Sebastián. Estaba muy contento. Dice que el próximo año quiere hacer una barbacoa en la playa con todos sus amigos del colegio.

b Contesta a las preguntas.

1 ¿Quién cumple años?
2 ¿Cómo celebran los cumpleaños?
3 ¿Dónde hacen la fiesta?
4 ¿Por qué?
5 ¿Sebastián recibió unos regalos?
6 ¿Cuál fue su reacción?
7 ¿Qué piensa hacer el año que viene?
8 ¿A quién va a invitar?

2 Tu cumpleaños

Por turnos pregunta y contesta.

¿Cuántos años tienes actualmente?

¿Cuándo es tu cumpleaños?/¿En qué fecha cumples?

¿Qué haces normalmente para festejarlo?

¿Cómo celebraste tu cumpleaños el año pasado?

¿Qué regalos recibiste?

¿Qué piensas hacer en tu próximo cumpleaños?

3 La piñata

a Escucha y anota el orden de las frases 1–6.

b Escribe el texto completo.

En muchas partes de América Latina los niños celebran su cumpleaños con una piñata ...

1 dándole golpes con el bastón.
2 les dan un bastón.
3 A los niños chiquitos les encanta – es lo mejor de la fiesta.
4 Tratan de romper la piñata
5 Les ponen una venda sobre los ojos y
6 ¡Les dan una, dos, tres vueltitas y listos!

¡Cuánto más grande y más llena de dulces y sorpresas, mejor!

4 El matrimonio

a Lee el artículo.

El enlace del año en Gijón

Ayer en la iglesia Santo Tomás de Granda a la una de la tarde se casaron Noelia – linda hija asturiana – con Andrew, joven profesor inglés.

Más de doscientos invitados festejaron este matrimonio con un almuerzo suntuoso típico de Asturias de langosta, pescado y carne regional.

La fiesta siguió hasta la madrugada con bailes y cantos típicos además de una disco. Un grupo grande de familiares y amigos del novio llegaron de Inglaterra y gozaron de la hospitalidad tan calurosa de aquí en la costa norteña.

La novia lucía un traje sencillo y bonito de seda.

Nuestras felicidades van para la bella pareja para una vida larga y llena de prosperidad.

b Indica si las frases son correctas (✓), incorrectas (✗) o si no se sabe (?).

1 Noelia se casó con un muchacho inglés.

2 El matrimonio tuvo lugar en Inglaterra.

3 Más de doscientas personas llegaron de Inglaterra.

4 Todos comieron mucho.

5 El baile terminó a medianoche.

6 Unos amigos de Andrew estaban en la fiesta.

7 Gijón está situado en el sur de España.

8 La novia llevaba un traje blanco.

5 Recados

a Lee la lista. Di lo que tiene que hacer la novia.

Ejemplo: Tiene que ir a la peluquería a las diez en punto.

comprar	escuchar	ir	probar
recoger	ver	visitar	

peluquería – 10 en punto
flores – 2 de la tarde
zapatos – por la noche
traje de boda – 6 aprox.
orquesta – 17h
cura – 9 si es pos

¡Andrew!

b 🎧 Escucha y anota el orden.

c Escribe lo que hizo y a qué hora.

Ejemplo: Fue a la peluquería a las once y media.

Festividades

1 Primeras Navidades en Europa

a Lee la tarjeta.

b Lee las frases. Sólo hay dos correctas.
Indícalas y corrige las incorrectas.

1 Alejandro ya pasó las Navidades muchas veces en Europa.
2 A Alejandro no le gustó la nieve.
3 Le gustó mucho el turrón.
4 Comió uvas cuando sonó la medianoche.
5 Los Reyes Magos traen uvas para los niños.

2 La primera comunión

a Lee la tarjeta de Marta Luz.

b 🎧 Escucha y completa el texto.

el regalo   a casa   Mi abuela   mi hermana
la familia   un día   blancos   media hora

Querida Beatriz

No te imaginas la alegría mía al ver esta cosa blanca llamada nieve por primera vez. Aquí celebran la fiesta de Navidad igual que nosotros en Bogotá con arbolitos de Navidad y belenes. En la Nochebuena todos fuimos a la misa del Gallo a medianoche. Cenamos antes de salir y comimos pavo lo mismo que en casa y turrón que me encanta. En la Nochevieja comimos las doce uvas de la suerte con las campanas a las doce de la noche. Hicieron fiestas para los niños el día seis de enero cuando los Reyes Magos traen regalos.

Abrazos de Alejo

---

el 13 de diciembre

Mis queridos tíos
Aquí tienen una foto de mi primera comunión. ¿Verdad que estoy linda? Toda ____ estaba presente menos ustedes. ¡Cuánto lo siento! ____ Clara me dio una cadena de oro muy bonita. Todos llevamos unos lirios ____ y una vela grande. Mi traje blanco era de ____ mayor Julia. La ceremonia duró ____ y después fuimos a almorzar ____ de mis tíos Pedro y Lucía. Fue ____ inolvidable para mí. Gracias por ____ y su tarjeta. Me gustaron muchísimo. Espero verles pronto.
Un abrazo fuerte
de su sobrina

Marta Luz

---

c Indica si la frase es correcta (✔) o incorrecta (✗).

1 Es una foto de un bautizo.
2 La niña se llama Linda.
3 Recibió un regalo de su abuela.
4 Pasaron media hora en la iglesia.
5 Comieron en casa de sus tíos.
6 No le gustó el regalo.

3 Grado universitario

a Lee el artículo.

b Indica los errores en la lista de datos de abajo.

Nombre:	HOYOS Emelina
Fecha del grado:	22 de julio
Grado:	bachiller
Grados anteriores:	master en Ciencias
Universidad:	La Sorbona de Dallas
Profesión:	estudiante
Trabajo futuro:	canciller en la ONU
Lugar de grado:	Nueva York

El pasado jueves 22 de junio se celebró el grado de una joven costeña en la ciudad lejana de Dallas en los Estados Unidos. Emelina Hoyos se destaca por su inteligencia y por su capacidad para el estudio. Es bachiller en Humanidades y Lenguas que estudió en Rochester N.Y. y en la prestigiosa Universidad de la Sorbona de París. Posteriormente obtuvo el master en Ciencias Iberoamericanas en Dallas EE.UU. Es con gran orgullo que se anuncia que la distinguida señorita Hoyos ha sido nombrada como canciller de la Misión Permanente ante la ONU con sede en Nueva York. Será para ella una gran experiencia y una excelente oportunidad de servir al país.

4 ∩ El año nuevo

Escucha y rellena la tabla.

¿Dónde?	¿Cómo celebran?	¿Qué fecha?

5 A ti te toca

a Graba una presentación oral en español contando del día de tu cumpleaños o de una fiesta personal.

- Qué fiesta
- Día y fecha
- Dónde
- Quién

- Cómo
- Qué regalos
- Qué vestidos

▲

- Lo mejor
- Opinión
- Qué cambiarías para la próxima vez y por qué

b Escribe una invitación.

- Nombra la ocasión.
- ¿Dónde y cuándo?
- ¿Por qué?

Una vida sana

1 ¡Uno, dos, tres! Relajamiento activo

a Lee las instrucciones. ¿Qué dibujo se describe?

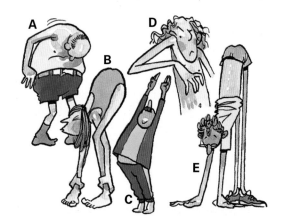

1 De puntillas levanta los brazos y estira el cuerpo.

2 Con las piernas rectas toca el suelo con las palmas.

3 Toca el ombligo con la nariz.

4 Toca el hombro derecho con la oreja derecha.

5 Pasa los brazos por entre las piernas y agarra la pantorilla.

b 👥 Da las instrucciones. Tu compañero/a las sigue.

1 Dobla el cuerpo a la derecha y a la izquierda.

2 Gira la cabeza lentamente.

3 Salta al aire – piernas abiertas, piernas cerradas.

¡Inventa otros ejemplos con dibujos!

tú	vosotros
levanta	levantad
levántate	levantaos

2 🎧 ¡A tus anchas! Relajamiento pasivo

Escucha las instrucciones. Escribe las partes del cuerpo.

3 Mantenerse en plena forma

a Lee los consejos. ¿Cuáles acciones son buenas y cuáles son malas?

- Es importante dormir bien y suficientes horas todas las noches.

- Es mejor levantarse y acostarse temprano.

- Si es posible trata de organizar tu día. No dejes todo para el último momento.

- Es necesario comer tres veces al día. No hay que picar entre comidas.

- Debes hacer ejercicio dos o tres veces por semana.

- El ser perezoso y flojear en la cama todo el día no es bueno – ¡claro, va sin decir!

- Sobre todo no debes fumar ni beber alcohol en exceso. Ni el uno ni el otro es bueno para la salud.

b 👥 Compara tu lista con la de tu compañero/a.

c 👥 Pregunta y contesta.

> Tú, ¿cómo te cuidas?
>
> ¿Estás en forma?
>
> ¿Qué ejercicio haces?
>
> ¿Dónde lo haces?
>
> ¿Hay instalaciones en tu colegio o hay un centro deportivo local?

4 Querida Tía Toña

a Lee las cartas.

No sé lo que me pasa pero me siento deprimida. Tengo demasiado trabajo y tengo pánico a los exámenes. No tengo muchos amigos en el colegio y a veces creo que se burlan de mí. ¿Cómo hago?
Pili

Mira, no sé lo que me pasa pero tengo tantas fobias que no sé qué. Tengo miedo de las arañas y de las culebras. Me parece normal, ¿no? Pero también tengo miedo de la oscuridad. Ayúdame a controlar a estas fobias.
Tito

Yo sí que soy perezosa, ya lo sé. Detesto recoger mi cuarto y por consecuencia siempre pierdo mis cosas. ¿Qué puedo hacer para remediar mi problema?
Angustias

Soy bajito y me siento acomplejado con mis hermanos que siempre se burlan de mí. Mis padres no comprenden. ¿Qué debo hacer?
Rodrigo Pablo

b ▼ Escoge unas respuestas que crees que son adecuadas para cada carta.

▲ Escribe una carta breve para responder a las preocupaciones.

Haz deporte todos los días.
Invita a tus compañeros/as a una fiesta en tu casa.
Duerme con la luz prendida.
Visita el jardín zoológico con otras personas.
Habla con tu profesor y practica antes.

Trata de poner las cosas en su sitio después de usarlas.
Escribe una agenda para organizarte todos los días.
No hagas caso de lo que dicen.
Habla con ellos con más frecuencia.
Escribe una nota para explicar donde están.

5 ¿Qué hacemos los españoles para perder peso?

a Lee el artículo y busca las palabras inglesas.

Ejemplo: estrategias = strategies

▲ Explica las palabras subrayadas en español.

Comer menos y hacer ejercicio son las estrategias más utilizadas por la población española que decide adelgazar según un estudio sobre nutrición llevado a cabo por el Instituto Gallup.

Mientras los hombres prefieren hacer ejercicio para eliminar las grasas sobrantes, las mujeres adelgazan por los regímenes, los productos dietéticos y otras estratagemas.

b Mira las estadísticas y decide cuáles frases son correctas y cuáles incorrectas.

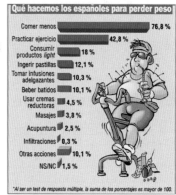

Qué hacemos los españoles para perder peso

Comer menos	76,8 %
Practicar ejercicio	42,8 %
Consumir productos *light*	18 %
Ingerir pastillas	12,1 %
Tomar infusiones adelgazantes	10,3 %
Beber batidos	10,1 %
Usar cremas reductoras	4,5 %
Masajes	3,8 %
Acupuntura	2,5 %
Infiltraciones	0,3 %
Otras acciones	10,1 %
NS/NC	1,5 %

*Al ser un test de respuesta múltiple, la suma de los porcentajes es mayor de 100.

1 Más gente utiliza la acupuntura que los masajes.

2 La mayoría come menos.

3 Menos gente bebe batidos que practica ejercicio.

4 Menos del 20 por ciento comen productos con menos grasa.

5 Un doce coma uno por ciento usan cremas reductoras.

¡Salud!

1 Hacia un mundo sano

a Lee el texto.

La composición de los alimentos y su uso

Proteínas: pescado, carne, huevos, leche, queso, legumbres y cereales. Necesitas 55 g a diario. Músculos y órganos vitales.

Hidrato de carbono: pan, pasta, patatas. Necesitas 275 g a diario. Energía.

Hierro: hígado, riñones, espinacas, guisantes. Necesitas 12 mg a diario. Protección y digestión.

Calcio: leche, queso, pescado, pan. Necesitas 700 mg a diario. Cuerpo y huesos.

Vitaminas: Protegen el cuerpo y ayudan la digestión.

A: zanahorias, tomates, legumbres verdes, mantequilla. Piel, ojos.

B: hígado, carne, harinas. Energía, piel, sistema nervioso, sangre.

C: fruta, legumbres verdes, zanahorias, patatas. Energía, piel, sistema nervioso, sangre.

D: leche, mantequilla, hígado. Dientes y huesos, ayuda a absorber el calcio.

b Da unos consejos a tu compañero/a.

Ejemplos:
La leche y ... tienen ... Son buenos para ...
La carne, el pescado y los huevos son ricos en ... y ayudan a ...
Las legumbres y las frutas contienen ... y nos dan ...

c Ahora escribe tres consejos más.

2 ¿Qué comieron ayer?

a Escucha y empareja las frases.

1 No comí nada	**a**	porque necesito energía.
2 Comí ensaladas y frutas	**b**	porque es muy sana.
3 Comí tres hamburguesas	**c**	porque mi papá me las dio.
4 Comí mucha fruta	**d**	porque estoy a dieta.
5 Comí espaguetis	**e**	porque no me hacen daño.
6 Comí espinacas	**f**	porque tienen vitaminas.
7 Bebí un litro de agua	**g**	porque es lo más sano.
8 Mi hermano comió zanahorias	**h**	porque quiero mantenerme en forma.

b Y tú, ¿qué comiste ayer? ¿Por qué? Escribe unas frases.

3 ¿Estás en forma?

a 👥 A turnos con tu compañero/a contesta a las preguntas.

Dime lo que comes y te diré cómo eres

❶ Cuando tienes hambre,
¿comes …
a una manzana? *(1)*
b pan? *(2)*
c chocolate? *(3)*

❷ Cuando tienes sed, ¿tomas …
a agua? *(1)*
b café? *(3)*
c coca? *(2)*

❸ ¿Duermes …
a pocas horas? *(2)*
b muchas horas? *(3)*
c suficientes horas? *(1)*

❹ ¿Desayunas …
a café o té? *(2)*
b nada? *(3)*
c algo? *(1)*

❺ ¿Comes más …
a patatas fritas? *(3)*
b bocadillos? *(2)*
c ensalada? *(1)*

❻ ¿Comes fruta y legumbres …
a todos los días? *(1)*
b dos o tres veces a la
semana? *(2)*
c rara vez durante la semana?
(3)

❼ ¿Haces ejercicio …
a de vez en cuando? *(2)*
b muy a menudo? *(1)*
c raras veces? *(3)*

❽ Para perder peso …
a ¿comes menos? *(2)*
b ¿no haces nada? *(3)*
c ¿haces ejercicio y comes
menos? *(1)*

b Calcula tus puntos. Inventa las
clasificaciones y los consejos.

8–11 =	16–19 =
12–15 =	20–24 =

c Ahora propón un menú para la semana
que viene.
¿Qué vas a comer/beber/preparar en las
tres comidas principales?

d 👥 Discute el contenido con tu
compañero/a. ¿Quién tiene el menú más
saludable?

4 A ti te toca

Tu agenda para la semana
En forma en 30 días
Recuperar la forma física en un mes no es una
tarea imposible. Para conseguirlo tan sólo
hacen falta disposición y un poco de
disciplina. Además es necesario preparar una
dieta adecuada y escoger el deporte que más
te conviene.

a Escribe lo que comiste, bebiste y
preparaste ayer. ¿Fue sano o malsano?

b ¿Qué hiciste durante la semana? ¿Fue
saludable o no?

5 Un poco de imaginación

En grupos prepara una propaganda o un
folleto sobre un aspecto de la salud.

Come más
zanahorias

A cocinar

1 Mi receta favorita

A mí me fascina el cocido madrileño. Lo comemos mucho en mi casa sea invierno o verano. Aquí está la receta ...

Ingredientes

1 kg garbanzos
2 kg patatas
1 cebolla grande
1 repollo mediano
4 nabos pequeños
500 g zanahorias y puerros
500 g de jamón
250 g bacon
1 pollo pequeño
4 chorizos
3 morcillas

a Empareja la instrucción con el dibujo adecuado.

> añade   prueba   cuela   sirve   pela
> fríe   hierve   corta   lava   mezcla
> pon   cuece   pesa   fríe

b 🄳 ¿Cómo se escribe el verbo en el infinitivo? Búscalo en el diccionario.

Ejemplo: hierve ➡ hervir

c 🎧 Lee la receta y escribe las instrucciones que faltan. Escucha y verifica.
¡No olvides los acentos dónde sean necesarios!

Ejemplo: hierve ➡ hiérvelos

La noche anterior _____ y _____ los garbanzos en una olla con agua a remojarse. Así estarán más blanditos por la mañana y se cocerán más rápido. _____ los primero.
Segundo _____ toda la verdura.
_____ las patatas, la cebolla, las zanahorias, los puerros y los nabos.
_____ el pollo en trozos con el bacon, el chorizo, la morcilla y el jamón.
_____ lo todo junto por unos minutos para dorarlo.

Pásalo a una olla grande y _____ lo todo a fuego lento.
_____ y _____ la verdura y unos pedazos de repollo si les gusta.
_____ bien todo.
_____ para ver si necesita sal y pimienta.
Déjalo reposar.
Antes de la comida _____ la sopa que se toma aparte primero. Después _____ lo demás como plato principal.

2 Un plato típico de Bogotá

Ajiaco

Ingredientes
mazorca fresca (maíz)
pollo
papas (patatas) de tres tipos:
 criolla, bogotana, blanca
crema de leche
alcaparras
guascas (hierbas indígenas)

a ⌒ Escucha las instrucciones. Empareja los verbos con los ingredientes.

añade	corta	lava	machaca
pela	pon	saca	sirve
usa	quita		

b 👥 Ahora explica a tu compañero/a cómo se hace.

Ejemplo: Primero hay que quitar la tuza …

3 ¡Infórmate!

a Busca otros platos típicos de Latinoamérica. El guacamole, ¿qué es? ¿Y las tortillas mexicanas? ¿Son iguales a la tortilla española?

b Diseña y escribe un menú para 'Los Tacos de Don Paco', un nuevo restaurante latinoamericano en tu ciudad.

4 A ti te toca

Ahora da las instrucciones para un plato típico de tu país o región. Graba las instrucciones en español en un casete.

- Ingredientes
- Cantidades
- Instrucciones
- ¿Cómo es?

5 Una comida especial

a Escribe el menú.

¿A quién vas a invitar?

¿Cuándo vas a hacer la comida?

¿Qué ocasion vas a celebrar?

¿Qué vas a preparar? ¿Por qué?

b Escribe unas frases sobre la comida: ¿Qué tal? ¿Resultó bien o mal?

6 ⌒ Compras sanas

Escucha. ¿Qué anuncia la publicidad? Rellena la tabla.

Fruta	Legumbre	Bebida	Otro	¿Sano? (✓/✗)
1				✓

1 ¿Qué empleo escoger?

a Lee los anuncios y escoge un empleo para cada persona. Cuidado: hay seis personas y sólo cinco anuncios.

1 Soy fuerte en matemáticas y me gusta la rutina.

2 Quiero trabajar con niños y me gustaría enseñar.

3 Me gustan las plantas y quiero trabajar al aire libre.

4 Me gustaría inventar platos deliciosos y trabajar en un restaurante famoso.

5 Quiero ser una estrella. Tengo buena voz y toco la guitarra.

6 Me gusta la informática y quiero trabajar con ordenadores.

b Escribe un anuncio para la persona que sobra. Tienes que incluir:

- nombre del empleo
- horas
- lo que tiene que hacer
- ¿algo más?

2 Anuncios

a Lee los anuncios.

ANUNCIOS

A Buscamos jardinero; horas flexibles; tel: 93 893 22 34

B Se requiere chico/chica mayor de 18 años; 4 horas sábado – oficina

C Invitamos a personas con talento musical para audiencias

D Madre soltera busca ayuda llevando hijos al colegio mañanas solamente

E Ayudante de cocina – favor llamar a 93 864 36 79

Viajes Iberia – Representantes
Se requiere: experiencia de al menos 4 años en una agencia de viajes. Conocimientos básicos de inglés y francés. Se ofrece: sueldo interesante. Buenas condiciones laborales y sociales. Candidatos favor enviar carta de solicitud escrita a mano con curriculum vitae al Apartado de Correos 2307, Barcelona.

Canguro
¿Tienes entre 14 y 18 años?
¿Te gustan los niños?
¿Estás libre desde las 16h hasta las 19h?
Favor enviar carta de solicitud y recomendaciones con foto al Apartado de Correos número 5689, Barcelona.

❊ AUTOS 2000 ❊

Autos 2000 necesita ayudante/mecánico – tardes de 17h–19h lunes a viernes y sábados todo el día. Experiencia preferible pero entusiasmo esencial.
Interesados llamar a 93 894 07 55 entre 14 y 16h.

OASIS

Floristería OASIS
ofrece empleo para joven artístico o con entusiasmo para la naturaleza. Necesitamos ayuda en el mercado los sábados por la mañana. Venga a vernos temprano los días de mercado.

Ferretería Mi Llavero

Se requiere joven para trabajar a tiempo parcial compatible con estudios. Sueldo a convenir. Si le interesa favor pasar por la tienda tardes después de las 15h. Centro Comercial Los Bosques.

b 🎧 Escucha e identifica el anuncio.

c Completa la tabla.

Número	Empleo	Opinión	¿Problema? (sí/no)	Detalles

d ▼ ¿Hay algún empleo anunciado aquí que te gustaría a ti? ¿Por qué?

   ▲ ¿Hay alguno que no te gustaría? Explica por qué.

e ▼ Contesta a las preguntas (sí o no).

   1 Si tienes trece años, ¿puedes solicitar el puesto de canguro?

   2 ¿Tienes que enviar una foto si quieres el puesto de canguro?

   3 ¿Se puede trabajar los domingos como mecánico?

   4 ¿Se puede llamar por teléfono para pedir el puesto de mecánico?

   5 ¿Es posible seguir estudiando si trabajas en la ferretería?

   6 En la floristería, ¿hay que trabajar todos los días de mercado?

   7 Si no hablas inglés, ¿vale la pena solicitar el puesto como representante?

   8 ¿Tienes que haber trabajado antes en una agencia de viajes?

f ▲ ¿Para qué empleo(s) ...

   1 hay que tener recomendaciones?

   2 es mejor querer a los niños?

   3 hay que tener experiencia?

   4 se puede hablar del sueldo?

   5 se necesitan conocimientos de idiomas?

   6 hay que escribir la carta de solicitud a mano?

   7 hay que demostrar entusiasmo?

   8 se puede trabajar a tiempo parcial?

3 👥 ¿Dónde vas a trabajar?

a Imagina que eres una de estas personas. Pregunta y contesta.

   • ¿Dónde vas a trabajar?

   • ¿Qué vas a hacer?

   • ¿Cómo vas a llegar?

   • ¿Cuánto tiempo vas a llevar?

Rafael

Valentina

Luís

Jorge

Clara

b Y tú, ¿dónde trabajas? Pregunta y contesta.

¿Dónde trabajas?

¿Cómo encontraste el trabajo? ¿Contestaste a un anuncio?

¿Mandaste tu curriculum vitae?

¿Tuviste una entrevista? ¿Cómo fue?

La práctica laboral

1 ¿La práctica por qué?

a Escribe unas frases. Di por qué la práctica es buena o mala idea.

En mi opinión	es importante	ganar confianza no ir al colegio
Creo que	tengo que	aprender nuevas cosas llegar a tiempo
Me parece que		tener una rutina fija trabajar con gente
Espero	aprender a	tomar decisiones tener responsabilidad
	enterarme de	tratar al público resolver problemas
	ganar experiencia en	trabajar en equipo usar mi cabeza
		cómo funciona una empresa

b 👥 ¿Cuál te parece lo más importante?
¿Cuál te parece lo menos importante?
Escribe tus frases en orden de
importancia. Compara tu lista con la de
tu compañero/a.

2 Solicitudes

a Lee la carta de solicitud.

b Contesta a las preguntas.

1 ¿A qué anuncio contesta Guillermo?

2 El puesto requiere ciertas cosas.
¿Es conveniente este empleo para
Guillermo?

3 ¿Tiene suficiente experiencia, en tu
opinión?

4 ¿Qué ventajas hay para Guillermo si
consigue el puesto?

Santa Cruz de Tenerife
20 de julio

Viajes Iberia
Apartado de Correos 2307
Barcelona

Estimado señor:
Por medio de la presente solicito el puesto de representante en Viajes Iberia.

Me llamo Guillermo Sánchez Rodríguez. Tengo dieciocho años y soy canario de la isla
de Tenerife. Hablo bien el inglés y un poco de francés. Soy soltero.

Acabo de hacer una formación profesional básica en turismo. También he estudiado
informática. He trabajado los sábados y durante las vacaciones en una agencia local.
He hecho mi práctica laboral en la corporación de turismo aquí en Tenerife. Tenía
que contestar el teléfono y buscar información para los clientes en el ordenador.

Ahora me gustaría ganar más experiencia en una oficina más grande. Además quisiera
trabajar fuera de la isla para tener más experiencia de la vida.

Adjunto envío mi curriculum vitae y le ruego que considere mi solicitud.
A la espera de sus noticias le saluda atentamente

Guillermo Sánchez

Guillermo Sánchez R.
Calle Profesor Peraza 13
38001 Santa Cruz de Tenerife
Canarias

3 La entrevista

a 🎧 Lee y escucha.

> Buenos días, Guillermo.

> Buenos días, señora.

> Mucho gusto en conocerle.

> Encantado.

> Siéntese, por favor.

> Gracias.

b Busca la respuesta adecuada para cada pregunta.

1 ¿Qué voy a hacer?

2 ¿Cuál será mi horario?

3 ¿Cuándo empiezo?

4 ¿En qué consiste el trabajo en la recepción?

5 ¿Recibiré un sueldo interesante?

6 ¿Qué cualidades son importantes para este empleo?

A Primero va a observar durante dos días para orientarse. Luego puede ayudar en la recepción.

B Cuando un joven hace la práctica laboral no solemos pagar un sueldo. Incluso creo que está prohibido. Pero vamos a ver. Lo importante es demostrar cómo trabaja.

C Llegará a las nueve en punto. Aquí consideramos que es muy importante la puntualidad. Saldrá a las cinco si todo está bien hecho.

D En la recepción hay que estar pendiente del teléfono y de los clientes.

E Es muy importante saber tratar a la gente; ser amable y paciente.

F Le veo dentro de quince días. Espero que le guste trabajar con nosotros.

4 👥 La despedida

Practica este diálogo con tu compañero/a.

– ¿Quiere preguntar algo más?

– No creo, gracias. No tengo más preguntas.

– Gracias por haber venido a la entrevista.

– Gracias por su interés.

– Espero que estará contento/a aquí.

– Le agradezco mucho.

5 👥 Consejos

Tu compañero/a tiene una entrevista. Dale unos consejos.

Ejemplo: ¡No olvides planchar tu camisa!

No olvides ...

Tienes que ...

Es mejor ...

¡A trabajar!

1 ¿Sabes contestar el teléfono?

a 🎧 Escucha y repite.

- Oiga.
- Diga.
- Quiero hablar con el señor Vázquez.
- Lo siento, no está. Vuelva a llamarle, por favor.
- Voy a dejar un recado entonces.
- ¿De parte de quién?
- De parte del doctor Jiménez.
- ¿Cuál es su teléfono, por favor?

b 🎧 Escucha los mensajes siguientes y anota los detalles.

Confirma el nombre y pide que lo deletreen.

RECADOS

fecha/hora:_____
para:_____
de quién:_____
teléfono:_____
mensaje:_____

Confirma esto repitiéndolo.

Siempre repite el mensaje.

2 👥 A ti te toca

a Haz unos diálogos con tu compañero/a.

De: Sr Fuentes – favor llamar al: 91 465 22 11

De: Sra de García - tel 91 435 56 27

> Oiga usted.
>
> ¿Puede usted repetirlo, por favor?
>
> Repítalo, por favor.
>
> ¿Cómo se escribe, por favor?
>
> ¿Puede usted deletrear eso?
>
> Voy a repetir su mensaje.

b Ahora escribe una nota: ¿quién ha llamado? ¿Qué ha dicho?

3 🎧 ¿Qué tal la práctica?

Escucha a Guillermo y sus amigos hablando de su práctica laboral. ¿Qué tal les resultó? Copia y rellena la tabla.

▼ ¿Bien o mal? (✓/✗)

▲ Da unos detalles.

Nombre	✓/✗	Detalles: lo mejor/lo peor
Guillermo		
Carmen		
Ignacio		
Santi		
Antonio		
María		

4 ¿Qué hacías?

a Lee el e-mail.

Acabo de terminar mi práctica laboral en un chiringuito en la playa. Todos los días tenía que levantarme temprano y salía corriendo para coger el autobús de las 6:30. Iba al mercado a comprar ensalada y fruta fresca y al llegar al quiosco siempre desayunaba bien. Después preparaba unos bocadillos deliciosos.

Me gustaba mucho mi trabajo aunque tenía que trabajar muchas horas – de 7 a 7 todos los días, domingo incluso, con una tarde libre cada cinco días.

Sólo había un cliente antipático que insistía en fumar adentro. Lo peor era el sueldo, pagaban muy mal, ¡pero lo mejor eran las propinas! De modo que todo terminó bien.

b Escribe un texto similar.

Trabajaba en	un chiringuito	y	servía a los clientes
	un super		llenaba las estantes
	un garaje		lavaba los coches
	una peluquería		barría el suelo
	una oficina		contestaba el teléfono
	una guardería		cuidaba a los niños
	un restaurante		lavaba los platos
	una cafetería		preparaba los bocadillos
	un parque		cortaba la hierba

c Graba una presentación oral sobre una práctica laboral.

- qué
- cuándo
- dónde
- por qué
- lo mejor
- lo peor

5 A ti te toca

a Prepara tu curriculum vitae.

Nombre: Nacionalidad:
Apellido: Educación:
Dirección: Trabajo:
Fecha de nacimiento: Intereses:

b Prepara y escribe una carta de solicitud para un puesto que te gustaría hacer. Puedes usar la carta de la página 100 como ejemplo.

It is important to see patterns in language learning. Once you have understood and worked with a pattern then you can begin to transfer that piece of learning to help you understand the next piece.

The future tense

We use the **future** tense to say what **will** happen or take place. To form the future of regular verbs:

Leave the verb as an infinitive:	**-ar**	**-er**	**-ir**
	trabajar	comer	escribir
Add these endings: (yo)	trabajar**é**	comer**é**	escribir**é**
(tú)	trabajar**ás**	comer**ás**	escribir**ás**
(él/ella/usted)	trabajar**á**	comer**á**	escribir**á**
(nosotros)	trabajar**emos**	comer**emos**	escribir**emos**
(vosotros)	trabajar**éis**	comer**éis**	escribir**éis**
(ellos/ellas/ustedes)	trabajar**án**	comer**án**	escribir**án**

The conditional tense

We use the **conditional** tense to say what **would** happen or take place. To form the conditional of regular verbs:

Leave the verb as an infinitive:	**-ar**	**-er**	**-ir**
	trabajar	comer	escribir
Add these endings: (yo)	trabajar**ía**	comer**ía**	escribir**ía**
(tú)	trabajar**ías**	comer**ías**	escribir**ías**
(él/ella/usted)	trabajar**ía**	comer**ía**	escribir**ía**
(nosotros)	trabajar**íamos**	comer**íamos**	escribir**íamos**
(vosotros)	trabajar**íais**	comer**íais**	escribir**íais**
(ellos/ellas/ustedes)	trabajar**ían**	comer**ían**	escribir**ían**

Some common irregulars you should learn by heart are:

haber ➡ habrá – habría   salir ➡ saldré – saldría

hacer ➡ haré – haría   tener ➡ tendré – tendría

poder ➡ podré – podría   venir ➡ vendré – vendría

poner ➡ pondré – pondría

1 How similar are these patterns and how do they differ?

2 Write out what each of these verbs means in English. Are they regular or irregular in other tenses? If they are irregular, copy them onto your irregular verb cards.

3 Make up a way to remember them:
T - H - H - V - P - S - P

The happy hippo Victor paddles so patiently.

4 Copy the sentences, adding the correct future form.

 1 En el año 2050 (haber) computadores en vez de profesores.
 2 Dentro de 30 años, ¿cuántos años (tener)?
 3 El porvenir nos (traer) muchas sorpresas.
 4 El año que viene (ir) con mi familia a España.
 5 El próximo sábado (salir) con mis amigos.

5 Write what your plans are for next week.

lunes	cine
martes	clase de baile
miércoles	

6 Write a few sentences about your ideal friend, school, house or day.

sería ...   tendría ...   estaría ...

7 Give some advice to a friend on diet or exams.

Example: Yo que tú comería ...

8 Answer the questions in writing then underline the future tense verbs in blue and the conditional tense verbs in red.

El próximo domingo ...

¿A qué hora te levantarás?

¿Qué te gustaría comer para el desayuno?

¿Qué harás durante la mañana?

¿Con quién preferirías salir?

¿Adónde irás después de comer?

¿Verás la tele?

¿Tendrás que hacer unas tareas?

¿Te acostarás tarde o temprano?

Preparing your coursework: speaking and writing

- Start preparing well in advance of your deadlines. Ask your teacher when they are. What other coursework deadlines have you got at the same time?
- Plan your time. When do you need to hand in your first draft?
- Check the basic requirements.

Topics

What is the set list for speaking?
And for writing?
How many topics do you choose?
Can you have the same ones for both speaking and writing?

Level

Which level are you going to do?

Length

Speaking: How long does the oral presentation have to be?
How many pages of notes/headings?

Writing: How many words are you going to write?
How many finished tasks do you have to hand in?

Do you know where to check the basic grammar and vocabulary you will need?

- Now choose your topics and make out your checklists.

Speaking
My topic is:

Here are my headings:
-
-
-
-

Deadline is:
Record on:

Writing
My topics are:

Level:
Number of words:
First draft ready by:

Hand in finished work on:

The basic ingredients for both speaking and writing

Vocabulary

For each topic write a list of basic nouns. Have a go in Spanish first, then think of the words in English and look up the Spanish equivalents.

- Remember the basic advice about looking up words in your dictionary (page 26).
- How can you improve on your basic list of nouns? How many adjectives can you add to some of these nouns to make them more interesting?

1 Match these adjectives to a suitable noun in your chosen topic:

espectacular	maravilloso/a	fatal
ridículo/a	gracioso/a	divertido/a

Verbs

- If the word you are looking up in your dictionary doesn't appear, then it might be a form of a verb.

Take the first part of the verb – the stem – and add the infinitive ending *ar/er/ir*.
Example: jugué – juego – jugamos ➡ *jugar*
Don't forget that sometimes even the stem changes – look back at the radical-changing verbs on page 24.

2 Find the infinitives of these verbs:

volvieron	puedes	durmiendo
salgo	comienza	leyendo

- How sure are you of your tenses?

Think about the context: are you talking about the past, present or future?

3 Put these verbs into the correct category.

I'm going to play

I ate   I am doing it now

They always come on Thursdays

Why is she sleeping?

When did he do that?

When are we going to
see you?

Jugaron al fútbol

Estamos viendo la tele

¿Dónde vas a estar más tarde?

Siempre llego a tiempo al colegio

No me gustaba historia

Voy a estudiar medicina

- Invent a mental picture or timeline then
  draw it out and display it in the classroom:

había hablado	hablé	he hablado hablaba estaba hablando	hablo estoy hablando	voy a hablar hablaré

H A B L A R

4 Do this with the common irregular verbs
– can you remember which they are?
Look back at page 25.

Write them onto learning cards with just
the forms that are irregular:

hacer ➡ *hago – hice – (haré)*

- refer to the past and to the future
  in each piece of work.

When you are planning what to say or
write go through the five Ws:

where	when	why	who	what

Practise in the three main tenses:

¿Adónde vas? ¿Adónde fuiste?
¿Adónde vas a ir?

Now do the same with

¿Qué haces? ¿Cuándo …? ¿Con quién …?
¿Por qué …?

Sequencing

- On page 82 you learnt some phrases
  to help you sequence what you want to
  write or say.

Here are a few more helpful phrases to
add to your list:

después de entrar   antes de comer
al llegar allí

5 Write down what the phrases above
mean and make up some more examples
with the following verbs:

levantarme   salir   acostarme
ir al cine   volver a casa
empezar la clase

Opinions

- Don't forget to say what you think
  about something and try to justify your
  opinion. Add these phrases to your list:

detesto   me encanta
porque es
fenomenal genial nulo imposible

¿Qué quieres hacer?

1 Nos reunimos

a Mira la Guía de la semana.

Guía de la semana

Atracciones
Karting – Descuentos
grupos y colegios
• a 2 km N334
• lunes a viernes
10h–18h

Acuario – 10 grandes
acuarios y un oceanario
dentro de un túnel
transparente de 75 m. Un
paseo al fondo del mar.
Apertura 9h30–21h30

Discotecas y salas de baile
– varios en el Barrio
Gótico
Bingo – abierto desde las
16h, Café Royal
Gran feria artesanal –
Mercado Central

Artes
Exposición – escultores de
hoy, Gran Sala Alcaldía

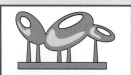

Juventud – artistas
jóvenes de todo el país
muestran su talento extra-
ordinario, Pabellón Real
lunes y viernes, gratis

Música
Los Caimanes – un solo
día, viernes a las 19h30 –
Full programa de música
latina. ¡A no perder!
Poprock en el Rockódromo
popular: tel 93 254 55
44 para detalles

Tres clásicos españoles –
Granados, Falla, Albéniz.
Teatro Zarzuela 12:15,
20:00, 22:00

Teatro
Teatro Español – *Casa de
Bernarda Alba* de Lorca
Historia de una escalera
de Buero Vallejo (Grupo
juvenil)

Cine
Cine clásico – *Sangre y
Arena*
Cartelera de hoy vea abajo

Otro
Adelántate – cursos de
verano, 4 días intensivo
• Centro de sonido e
imagen – video/tv/sonido/
radio-reportero, tel: 93
264 72 53 para
inscripciones

b Lee las frases. Sólo hay cuatro que son correctas. ¿Cuáles son?

1 Se puede hacer karting en el centro de la ciudad.

2 Los estudiantes pagan menos.

3 El acuario abre a las nueve.

4 Hay una exposición fotográfica.

5 Los Caimanes van a dar solamente un concierto.

6 Un grupo de jóvenes está representando una obra de teatro.

7 La plaza de toros se llama Sangre y Arena.

8 Hay un curso en el verano sobre los medios de comunicación.

c Corrige las frases incorrectas.

d 🎧 Escucha. ¿Qué quieren saber? ¿Qué contestan?

Ejemplo: si hay descuentos para el karting – sí

e 👥 Pregunta y contesta.

> ¿Te gusta el cine/el teatro/bailar?
> ¿Te gustan los conciertos?
>
> ¿Te gustaría ir al cine/al teatro/a la disco/a un concierto?
>
> ¿Te gustaría hacer karting?

f 👥 Escribe un programa para el fin de semana. Escribe una lista de todas las cosas que quieres hacer y a qué hora las vas a hacer.

▼ Compara tu programa con el de tu compañero/a. ¿Qué diferencias hay?

▲ Compara vuestros programas. Di por qué has escogido cada cosa.

Ejemplo: Quiero ver *Sangre y Arena* porque es una película clásica que no he visto.

2 El tiempo será …

a Lee el pronóstico del tiempo.

El termómetro sigue subiendo

- Tras las lluvias de la semana pasada el riesgo de incendios ha descendido de forma considerable, pero con estos tres días de calores intensos habrá riesgos elevados de incendios en toda la comarca.

- **Hoy** hará calor de nuevo: 34 grados se esperan en el interior pero en la costa serán inferiores a los 30 grados.

La elevada humedad dará sensación de bochorno. Por la mañana habrá algunas nubes. En el resto del territorio lucirá un sol espléndido.

- **Mañana** – aumento de la nubosidad por oeste con riesgo de algún chubasco en esta zona. Nubes y claros en el resto.

- **Pasado mañana** – ambiente soleado y despejado. Temperaturas estables.

b Contesta a las preguntas.

1 ¿Está haciendo frío o calor en este momento?

2 ¿Cómo lo sabes?

3 ¿Cuál es el riesgo con estas temperaturas?

4 ¿Ha habido lluvia recientemente?

5 ¿Habrá cambio de temperatura hoy?

6 ¿En la costa cuántos grados hará?

7 ¿Cómo será el día?

8 Mañana, ¿dónde habrá nubes y riesgo de lluvia?

3 Los proyectos para la semana

a ∩ Escucha. Anota el programa para la semana.

b ∩ Escucha el pronóstico. ¿Hay que cambiar de plan? Copia y rellena la tabla.

Día	Actividad	Pronóstico	¿Se puede hacer?
lunes	karting	lluvia	✗

c Explica por qué no se pueden hacer las actividades marcadas con la equis (✗). Sugiere otras ideas.

Ejemplo:

No se puede hacer karting porque va a llover.

Si está lloviendo mañana iremos a …

Si llueve mañana podríamos ir a …

4 A ti te toca

▼ Prepara una publicidad para un centro deportivo. Incluye:

- dónde se sitúa
- el horario
- las instalaciones

▲ Describe una visita a un centro deportivo. Incluye:

- razón de la visita
- cómo llegaste allí
- lo que hiciste
- las instalaciones
- si vas a volver y por qué

Vamos a salir

1 🎧 Una llamada telefónica

Escucha y anota:

- ¿Quién llama?
- ¿Qué quiere hacer?
- ¿Dónde quedan?
- ¿A qué hora?

2 👥 ¿Cuándo, dónde y a qué hora?

a Practica este diálogo con tu compañero/a.

– Oye, ¿vamos a salir _____?

– Buena idea. ¿Qué piensas hacer?
– A mí me gustaría _____ .

– ¿Adónde vamos a ir?
– Vamos primero a _____ y después podemos ir a _____ . ¿Qué tal te parece?

– Perfecto, pero ¿dónde nos encontramos?
– Quedamos enfrente del/de la _____ , ¿te parece?

– Vale. ¿Y a qué hora?
– A las once y media.
– Está bien.

b Inventa otros diálogos.

3 A ti te toca

Graba una presentación oral sobre una tarde que pasaste con un(a) amigo/a.

¿Adónde? ¿Qué hiciste?
¿Con quién fuiste?
¿Comiste algo? ¿Qué y dónde?
¿Opinión?
¿Otros planes? ¿Por qué?

4 ∩ ¿Es buena idea?

Mira los proyectos y escucha.
¿Es buena idea? ¿Por qué? ¿Por qué no?

Ejemplo: Lunes, es buena idea ir al museo por la mañana porque hay riesgo de lluvia.

5 Vamos de paseo

a ∩ Escucha a Elena y sus amigos discutiendo sus planes. Identifica sus argumentos a favor de cada paseo.

b ∩ Escucha otra vez e identifica los argumentos en contra.

	A favor	En contra
Acualung		
Romería		

Acualung

Es nuevo. Hay mucho que hacer. Hay mucha/demasiada gente. Hay mucho ruido. No hay que preparar comida. Al aire libre. Hay abrigo si llueve. Veremos a nuestros amigos.

Romería

Más aventura. Vamos con amigos y familia. Vamos a cocinar en leña. Al aire libre. No hay abrigo si llueve. No hay nada que hacer. Es aburrida. Es tranquila.

c ¿Qué van a hacer? ¿Van al parque acuático o van de romería? Di por qué han escogido el uno y no el otro.

d En grupos escoge un recorrido para hacer en tu región/país.
Prepara una lista de las cosas que tenéis que hacer antes de salir.
Prepara un horario.

e Ahora escribe un e-mail a Elena para contarle lo que vais a hacer.

¿Qué ponen?

1 ¿Qué ves para divertirte?

a 🎧 Escucha. Copia y rellena la tabla.

Número	Película/Programa	Tipo	¿Por qué?
1	Twister	aventura	emocionante

b Pregunta a tus compañeros/as de clase qué prefieren ver.

> ¿Qué programas te hacen reír?
>
> ¿Qué películas te parecen divertidas/graciosas?
>
> ¿Cuántas horas pasas viendo la tele/películas/ vídeos cada semana?
>
> ¿Ves culebrones?

c Presenta los resultados en forma gráfica.

d Escribe una respuesta a la carta.

> *Y tú, ¿qué ves para divertirte?*
> *Contéstame en tu próxima carta.*

VIDEO CLUB

Pinocho, la leyenda • dibujos animados
Crash, mayor de 18 • aventura
Evita • ópera rock
Shine • historia romántica
Un padre en apuros • comedia
Misión imposible • aventura
Robocop • ciencia ficción
Pesadilla • horror
Los siete magníficos • oeste
Harry el sucio • policíaca

2 ¿Quién y qué está de moda y por qué?

a 🎧 Escucha a este grupo de jóvenes. Copia y rellena la tabla.

Número	Aspecto	¿Le gusta?	Razón
1	moda	✓	super cool

b ¿Qué y quién está de moda ahora en tu país? ¿Te gusta o no? ¿Por qué (no)?

3 👥 ¿De qué trata?

a Escoge un libro, una película, un programa o una canción.
Explica a tu compañero/a de qué trata.

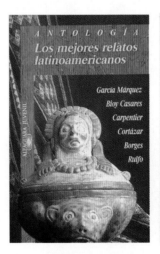

> Trata de ...
>
> Cuenta la historia de ...
>
> Es un programa de ...
>
> El autor/director/cantante se llama ...
>
> El personaje prinicipal es ...

b Da tu opinión. ¿Tu compañero/a está de acuerdo?

En mi opinión	es	espectacular	abur...
Creo que		divertido/a	ridícu...
Me parece que		genial	nulo
Lo/la considero		estupendo/a	regular violento/a
		bueno/a	buenísimo/a

(No) Tienes razón

Te equivocas

(No) Estoy de acuerdo

4 ¿Qué vamos a ver hoy?

TVE 1
19:00 Lois y Clark – las nuevas aventuras de Superman
18:45 El precio justo
20:00 Gente – revista de sociedad
21:00 Telediario
21:55 El tiempo
22:00 Corrupción en Miami
22:40 Amigos en la noche – música y actualidades

Antena 3
18:00 Los Simpson – serie de animación
19:20 Ahora – magazín de sociedad
19:55 Los vigilantes de la playa
20:25 Parece mentira

Canal +
19:17 Documental – el planeta azul
20:30 Buffy – cazavampiros
21:30 Noticias
21:53 Contrarreloj – concurso
22.30 Estreno: Todo sobre mi madre – Pedro Almodóvar
01:08 Golf PGA (codificado)

La 2
18:30 El cielo es el límite – concurso
19:30 Telenoticias
20:15 Documental
21:00 Tododeporte
22:40 Cine fila 2: Gente de Sunset Boulevard
01:05 Despedida y cierre

Tele 5
19:30 El juego del Euromillón
20:30 Las Noticias
21:30 Noticiero deporte
21:50 Expediente X

a ¿A qué hora y en qué cadena hay …

– un programa divertido?
– un programa informativo?
– un programa deportivo?
– un programa infantil?
– un programa de juego?
¿Cómo se llama?

b 👥 Decide con tu compañero/a qué programas vais a ver hoy. Da la razón. Trata de llegar a un acuerdo.

Creo que X es más interesante/divertido/serio que Y.

Prefiero ver X porque es …

En mi opinión el mejor programa es …

El peor programa me parece que es …

5 👥 A ti te toca

Pregunta y contesta.

¿Qué programas ves?

¿Cuándo ves la tele?

¿Cuál es tu programa favorito?

¿Cuánto tiempo dura?

¿Qué tipo de programa es?

¿Por qué te gusta?

¿Qué propaganda te gusta?

¿Cuándo la viste y por qué te llamó la atención?

e compras

1 ¿Ganarías el premio de mejor comprador(a)?

a Contesta a la encuesta.

1 *Cuando sales de compras ...*
a sabes exactamente lo que quieres
b sólo quieres mirar
c miras con cuidado y regresas más tarde

2 *Piensas primero en ...*
a la calidad
b la marca
c el precio

3 *Generalmente vas ...*
a con amigos
b con tus padres
c a solas

4 *Prefieres comprar en ...*
a la tienda de la esquina
b los grandes almacenes
c el lugar más barato

5 *Generalmente vas de compras por ...*
a comida y bebida
b ropa y zapatos
c discos y revistas

b 🗣 Compara tus respuestas con las de tu compañero/a.
Escoge la descripción más apropiada para ti mismo y para tu compañero/a.

- Eres comprador(a) por gusto: te encanta comprar y te gusta ir con amigos.
- Eres comprador(a) práctico/a: escoges lo mejor y lo más barato.
- Eres comprador(a) sin ganas: no te gusta hacer compras – lo odias.

Opiniones
Es más fresco.
Viene empaquetado.
No hay prisa en escoger.
Es muy impersonal.

2 ¿Al supermercado, a la tienda o al mercado?

a Unos quieren ir al supermercado. Otros prefieren las tiendas locales o el mercado. Lee.

Prefiero ir al supermercado Es más barato.

Es mejor comprar en las tiendas porque no hay tanta cola.

Hay mejor calidad en el mercado.

b Clasifica las opiniones. Piensa en otros argumentos a favor y en contra.

	A favor	En contra
supermercado		
tienda		
mercado		

Siempre compras cosas extras.
Prefiero la atención personal.
La tienda está a la vuelta.
Hay que ir en coche.
Todo está en el mismo lugar.
Todo está bajo techo.
Prefiero ir en coche.
No me importa si nadie me conoce.
Hay que pagar la gasolina.
Si sólo quieres una cosa ...

c ∩ Escucha estas entrevistas por la calle. ¿Dónde prefieren comprar?

▲ Da la razón.

d Y tú, ¿qué opinas?
¿Prefieres hacer compras en el supermercado o en las tiendas locales o el mercado?

3 A ti te toca

▼ Diseña una propaganda para un centro comercial. Incluye:

- dónde se sitúa
- cómo se llega allí
- las instalaciones
- por qué vale la pena ir

▲ Escribe sobre una visita a un centro comercial.

- ¿Adónde fuiste?
- ¿Con quién fuiste?
- ¿Cuándo?
- ¿Transporte allí?
- ¿Por qué fuiste?
- ¿Qué tal?
- ¿Lo recomendarías a un amigo?

4 ∩ Mandados y más mandados

a Escucha.

▼ Empareja cada mandado con el dibujo adecuado.

▲ Escribe la lista.

b Escucha otra vez.

▼ Escribe adónde vas para cada mandado.

▲ Da la razón para cada mandado. Contesta con una frase entera.

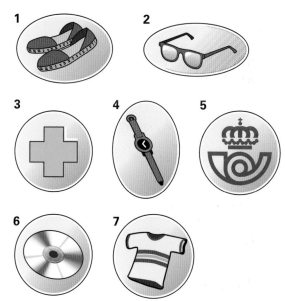

5 ¿A qué planta voy?

Bienvenidos: ¡todo bajo un solo techo!

Planta	
Sótano:	electrodoméstico – información
Baja:	perfumes y cosméticos – cafetería
Primera:	hogar – cristalería
Segunda:	niños – juguetes y ropa
Tercera:	confección de damas – interior – peluquería
Cuarta:	todo para el hombre de hoy
Quinta:	deportes – ropa y equipo
Sexta:	informática – sonido – vídeo – foto

a Mira el plano del almacén. ¿Adónde vas si quieres …

1 comprar zapatos de tenis?
2 mirar ropa interior femenina?
3 comprar un nuevo despertador?
4 tomar chocolate con churros?
5 averiguar informacíon sobre ordenadores?

b 👥 ¡A jugar!

Quiero comprar … ¿Adónde voy?

Vas a …

De tienda en tienda

1 La lista de compras

a 🎧 Escucha y mira los dibujos. ¿Qué falta?

b Clasifica las cosas de acuerdo con la tienda donde se compran.

c 👥 Pregunta y contesta.

> ¿Adónde vas para comprar ...?

> Voy a ... para comprar ...

un kilo = 1.000 gramos
medio kilo = 500 gramos
un cuarto de kilo = 250 gramos

un paquete de	una botella de
un litro de	una caja de
una lata de	un trozo de
una ración de	un pedazo de

1

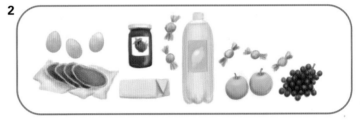

2

3

2 🎧 Tintorería – lavado en seco

a Escucha e identifica la ropa y los efectos personales.

b ¿Qué pertenece a quién? Escucha a los dependientes.

▼ Escribe el nombre de la persona y la prenda.

▲ Escribe frases enteras.

Ejemplo: ¿De quién es el abrigo? Es el del señor ...

¿De quién	es	el/la ...?
	son	los/las ...?
Es el/la de ...		
Son los/las de ...		

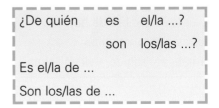

3 De compras

a 🎧 Escucha. ¿Dónde están?

b 🎧 Escucha otra vez y escribe lo que piden.

▲ Escribe la cantidad.

c Mira las listas.

▼ ¿Qué lista pertenece a quién?

▲ Pon cada lista en orden.

4 En el rastro

a 🖳 Escribe. Usa tu diccionario si es necesario.

b 🎧 Escucha y comprueba tus listas con las que oyes.

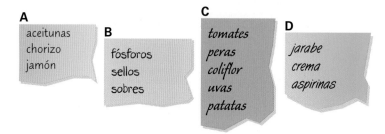

A
aceitunas
chorizo
jamón

B
fósforos
sellos
sobres

C
tomates
peras
coliflor
uvas
patatas

D
jarabe
crema
aspirinas

c 🎧 Escucha y lee el diálogo.

– Hay que comprar regalos.
– De acuerdo, ¿pero dónde? ¿El mercado o el supermercado?
– Aquí en el rastro hay cantidades. Es más divertido y a buen precio.
– De acuerdo.
– Estas cerámicas son bonitas.
– Sí, pero se rompen fácilmente.
– Mira esos monederos de cuero.
– No creo – me parecen demasiado caros.
– ¿No te gustan aquellos toritos?
– Son de plástico y muy baratos – no.
– ¡Vaya, qué difícil eres!
– Bueno pues, voy a comprar este cenicero para papá y esa pulsera para mamá. ¿Satisfecha?
– Perfecto – voy a hacer lo mismo.

este	esta	estos	estas
aquel	aquella	aquellos	aquellas
ese	esa	esos	esas

d 👥 Ahora inventa otros diálogos basando tus ideas en los dibujos de arriba.

Quiero cambiarlo

1 A la orden

a 🎧 Escucha. ¿Dónde están?

b ¿Qué quieren? Escoge la respuesta correcta.

1 La señora quiere mandar a reparar/ revelar/limpiar las fotos.

2 El señor quiere reparar su reloj/su lavaplatos/un pantalón.

3 El niño quiere comprar/alquilar/vender una bicicleta.

4 La señorita busca un vídeo/televisor/ estéreo de segunda mano.

5 El matrimonio joven quiere cambiar su dormitorio/cocina/baño.

2 Comprando

a 🎧 Escucha.

▼ ¿Qué quieren cambiar?

▲ ¿Por qué? ¿Se puede?

Copia y rellena la tabla.

número	objeto	razón	resultado ✓/✗

estos vaqueros/esta blusa/este jersey/estas medias

Me/te/le quedan grande(s)/pequeño/a(s)

No me gusta el estilo/el color/el material

b 👥 Practica este diálogo.

– Quisiera cambiar esta camiseta, por favor.

– ¿Tienes el recibo de compra?

– Aquí está. Tome usted.

– ¿Qué es lo que pasa con esto?

– Resulta que mi hermano ha engordado algo y no le queda bien.

– ¿Entonces quiere una talla más grande?

– Sí, la talla 42 por favor. ¿La tienen en otros colores?

– Por supuesto. La tenemos en berenjena, azul turquesa o verde olivo. ¿Cuál prefieres?

– Voy a llevarme el verde olivo. Gracias, muy amable.

– No hay de qué.

3 👥 Alpargatas

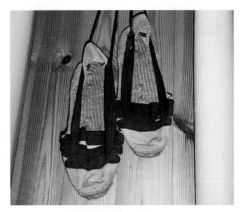

Tienes que cambiar las alpargatas. Inventa un diálogo con tu compañero/a basado en el ejemplo de al lado.

¿Qué número calzas?

¿Qué talla eres?

¿Qué color prefieres?

¿Cuánto valen?

¿Las envuelvo?

4 ⌒ Hay un problema

a Escucha e identifica la lista de cada persona.

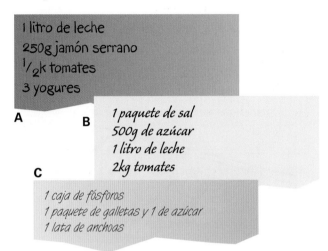

1 litro de leche
250g jamón serrano
1/2k tomates
3 yogures

A

B
1 paquete de sal
500g de azúcar
1 litro de leche
2kg tomates

C
1 caja de fósforos
1 paquete de galletas y 1 de azúcar
1 lata de anchoas

b Escucha otra vez. Identifica si hay un problema (✓) o no (✗).
   ▲ ¿Cuál es?

5 En la joyería    page 120

a ⌒ Lee y escucha.

– ¿En qué puedo servirle?
– Quiero mandar reparar este reloj.
– ¿Qué tiene?
– Tiene la pulsera rota.
– Bueno, se lo mando hacer.

b Inventa otros diálogos.

la suela rota

no funciona

cuerdas a reparar

lavar en seco

rollo a reparar

la lente rota

c ⌒ Escucha. Copia y rellena la tabla.

Objeto	Trabajo a hacer	Listo cuándo	Precio
1 reloj	reparar	pasado mañana	16 euros

6 ¿Qué le pasaba a esta bici?

a Describe la bicicleta.

tenía   era   había   no funcionaba ...

b ¿Qué hicieron?

cambiaron

inflaron

repararon

remendaron

pusieron de nuevo

pintaron

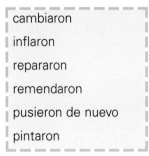

Gramática

Pronouns

The subject pronouns are not generally needed in Spanish as the verb ending usually tells you who the subject is. You only use them if you want to stress or emphasize who is doing the action.

1 Copy the balloon and write in the correct person in English for each one.

There are four ways of saying 'you' in Spanish:

| tú | usted | vosotros/as | ustedes |

Can you remember and explain when you would use each one?

We use pronouns to replace a noun or name to avoid repetition. They agree with the noun they replace and usually come **immediately before** the verb.

Reflexive pronouns are seldom translated into English.
Me levanto a las seis. I get (myself) up at six.

2 Translate the following:

Me despierto a las seis y media.
Voy a bañarme más tarde.
A veces me acuesto muy tarde.
Juan se lavó el pelo esta mañana.
Julia se cortó el pelo.

Direct object pronouns

me	*me*	nos	*us*
te	*you*	os	*you*
le	*him/you*	les	*them – people*
lo	*it*	los	*them – things*
la	*her/it*	las	*them – people/things*

¿Dónde estás? No te veo.

3 Write out the correct pronoun for the word in **bold**.

1 ¿Has visto **mis gafas**? ¡Sí, _____ tienes encima de la cabeza!
2 ¿Dónde dejaste **tu mochila**? _____ dejé en el taxi.
3 No encuentro **mi coche**. No _____ encuentro en ninguna parte.

Indirect object pronouns

me	*to me*	nos	*to us*
te	*to you*	os	*to you*
le	*to him/her you/it*	les	*to them*

4 Translate these examples:

me Mis padres **me** dieron un reloj para mi cumpleaños.

te ¿Qué más **te** dieron tus amigos?

le **Le** dieron una sorpresa grande.

nos Y **nos** dieron una noche tranquila porque lo celebraron en casa de un amigo.

os ¿Qué **os** parece la idea?

les **Les** pareció buena idea.

5 Now complete these sentences:

1 ¿Has hablado con tu hermano? Sí,
   _____ llamé por teléfono ayer.

2 Mi hermana _____ dio un regalo
   bonito.

3 ¿Has escrito a los abuelos?
   Sí,_____ escribí la semana pasada.

Pronouns can also go onto **the end of
an infinitive and a present participle:**
*Mis padres van a dar**me** un reloj./Mis
padres **me** van a dar un reloj.*
*¿Sabes lo que van a dar**te** tus amigos?/
¿Sabes lo que **te** van a dar tus amigos?*

When there are two third person plural
or singular pronouns in the same
sentence, you change the indirect one to
se and put it with the direct one:

*¿Has dado **el regalo a tu hermano?***
*Sí, **lo** he dado a mi hermano esta mañana.*
*Sí, **le** he dado el regalo esta mañana.*
*Sí, **se lo** he dado esta mañana.*

Este plato está sucio.

*En un momento **se lo** traigo limpio, señora.*
*Voy a traér**selo** limpio en un momento,
señora.*
*Tráe**melo** limpio en seguida, jovencito.*

Notice when you need to put a written
accent on the verb.

6 Copy the sentences, adding the correct
object pronouns.

1 Necesito este libro urgentemente.
   Dá_____ enseguida.

2 Esta cuchara está sucia. _____
   cambio enseguida.

3 ¿Te gusta este chaleco? Voy a
   comprar_____ como regalo.

4 ¿Quieres explicarme lo que pasa?
   Sí. Dentro de un rato _____ digo.

Possessive pronouns

el	la	los	las	
mío	mía	míos	mías	*mine*
tuyo	tuya	tuyos	tuyas	*yours*
suyo	suya	suyos	suyas	*his/hers/theirs/yours (formal)/its*
nuestro	nuestra	nuestros	nuestras	*ours*
vuestro	vuestra	vuestros	vuestras	*yours*

¿Es tu coche? Sí, es mío.
Is it your car? Yes, it's mine.

If you are using a possessive pronoun
straight after the verb *ser*, as above, you
don't need an article. Otherwise you need
to add the correct article:

*Me gusta tu coche. **El mío** está muy viejo.*
I like your car. Mine is very old.

7 Copy the sentences, adding the correct
possessive pronoun and article if
necessary.

1 Estas gafas son (mío) _____. (Tú)
   _____ están en tu bolsillo.

2 Esta foto es fea. (Mi) _____ es más
   bonita.

3 No tengo mi cartera. ¿Tienes _____?

4 Hemos olvidado nuestros libros.
   ¿Vosotros tenéis _____?

5 ¿Quieres ir en mi coche o en _____?

Disjunctive pronouns

These are used after a preposition – with,
next to, for, etc.
*Esta pizza es para mí – no es para ti, ni
para él ni para ella.*

mí	nosotros/nosotras
ti	vosotros/vosotras
él/ella/usted	ellos/ellas/ustedes

Remember that *con* + pronoun makes
conmigo, contigo and *consigo.*

Completing your coursework assignments

Having worked through the preparation tasks on pages 106–107 you are now ready to complete your assignments.

Speaking

How can you make sure you speak for four minutes?

- by rehearsing/practising what you want to say several times over
- by checking your notes carefully
- by making clear headings

Look at these different ways of making notes. Choose one that suits you and your way of working.

A A family celebration

What, when, where, why, who	*cumpleaños de papá – Año Nuevo – fiesta alegre – en casa – todos los vecinos*
Guests, activities and refreshments	*comida especial – baile – 'party poppers'*
Feelings and opinions	*Me encanta – toda la familia junta*
Do something differently next time?	*No lo cambiaría por nada en el mundo.*

B Keeping fit

correr – larga distancia

Activities you do/could do

Reasons —— *pulmones – oxígeno/relajarme*

instalaciones modernas – costosas

Opinions – facilities

Recent activity – pros/cons

mini maratón – agotador – más práctica

1 Now make notes for these:

C Work experience or part-time job

D A leisure outing

E Money matters

Check back to make sure you have all the ingredients – see page 107.

Polishing your pronunciation

In Spanish you make the vowel sounds and some consonants at the end of one word and the beginning of the next slide or run into each other.

2 Practise saying:

Me encanta el agua azul.

Mi abuela va a enseñarme a tejer.

Los otros hostales no están aquí cerca.

Los Angeles es una ciudad muy alegre.

Writing

Check that:

- your chosen topics are different from the speaking ones.
- you have chosen two different types of task.
- you have covered everything required for your chosen topic.
- you have written the number of words expected for your level.

Accents

Can you improve even more on what you have written?
Have you checked your accents? What is the golden rule?

Learn this by heart

If the word ends in a **vowel**, an **s** or an **n,** then the stress normally falls on the next to last syllable (the penultimate syllable):

fiésta – cíne – juégos – practícan

If the word ends in a consonant – not including an **s** or an **n** – then the stress falls on the last syllable:

profesór – hotél – azúl – Navidád

If the word **does not follow this rule** then you have to add a written accent:

estación – adiós – teléfono – televisión

3 Add accents to these words if necessary.

> facil   dificil   lapiz   lapices   joven
> jovenes   jardin   pais   primero
> profesores   telefonos   Malaga

Once you are sure you have all the correct ingredients you need to fine-tune and check the finished product.

Look back at Mañas 2B (page 82). Remember TAPAS? Work through your invented checklist of TAPAS.

Remember:

- linking words and phrases
- sequencing words and phrases
- better adjectives
- opinions and reasons

4 Now practise on this task and then try to do the same with your own piece of work.

Una visita al nuevo centro deportivo – 90 palabras

_____ fui al nuevo centro deportivo _____ se llama XX _____ quería nadar en la piscina _____. Está en el centro de la ciudad _____ tuve que coger el autobús _____.

_____ allí, me encontré con tres de mis _____ amigos y _____ decidimos mirar las instalaciones. Hay una cafetería _____ y varias canchas _____ se puede jugar a _____ y _____. También hay un _____ .

_____ visitar todo llegamos tarde a la piscina y _____ estaba cerrada. Por supuesto me gustaría volver otro día _____ me encanta _____.

> al llegar   bádminton   baloncesto
> club de teatro   de modo que   de olas
> desgraciadamente   después de   donde
> la natación   la semana pasada   mejores
> muy   moderna   número 9   porque (x2)
> primero   que

1 🎧

a Escucha. ¿De qué o de quién hablan? ¿Qué opinan?

b Escucha y anota su opinión sobre:

- el tiempo británico
- el problema del tráfico
- las normas del colegio

2 Lee y escoge las palabras adecuadas.

Llegué hace tres días y me quedé (1 impresionado/a - insatisfecho/a) con las playas negras. Nos dijeron que (2 había - hacía) una playa de arena fina y amarilla. Ayer (3 comimos - fuimos) al volcán de Teide. Nos (4 encantó - escuchó) con su paisaje increíble. Hoy hemos (5 decidido - dicho) visitar el Palacio Insular porque queremos (6 ver - visto) las momias de los Guanches, los primeros habitantes de las islas. También (7 dicen - hablan) que se puede ver el cañón que le quitó el brazo al almirante Nelson allí. Saldremos pasado mañana a (8 dar - ver) un paseo por el puerto.

PLAYA DE LAS **TENERIFE** AMÉRICAS

3

Mallorca
17 de enero
El año pasado fui con mis abuelos a participar en esta fiesta. Se celebra por toda la isla de Mallorca y en Sant Antoni en Ibiza. Todo el mundo sale con sus animales y el cura viene para bendecirlos.

a 🎧 Escucha a Pilar hablando de lo que pasó. Anota los detalles más importantes.

b Imagina que fuiste a esta fiesta.
▼ Escribe unas 40 palabras.
▲ Escribe una carta breve de unas 75 palabras.

4   Lee el texto y pon los dibujos en el orden correcto.

- Dos personas estaban caminando por la calle y tenían muchos bolsos de compras.
- Estaban cruzando la calle cuando de repente un bolso se cayó. En este mismo instante venía un chico en monopatines bajando la calle muy deprisa.
- Enseguida trató de evitar a las personas que estaban recogiendo sus bolsos de la calle. Un coche rojo estaba pasando al otro lado de la calle.
- El coche rojo se salió de la calle para no chocar con el monopatinador.
- Desgraciadamente el coche no pudo frenar a tiempo y chocó contra la vitrina de una tienda. El monopatinador miró hacia atrás y perdió el equilibrio.
- Una ambulancia y un policía acudieron rápidamente al accidente. Por fortuna no hubo heridos graves.

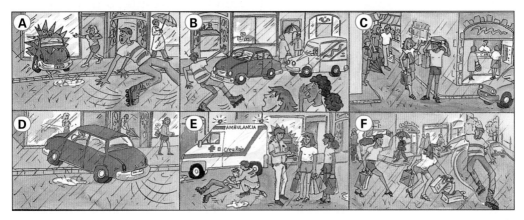

Santa Cruz de Tenerife
18 de septiembre

Viajes Iberia
Apartado de Correos 2307
Barcelona

Estimados señores

Por medio de la presente quisiera agradecerles por haberme ofrecido la oportunidad de hacer mi práctica laboral en su oficina.

Trabajé durante quince días en la recepción – del dos al diecisiete del mes pasado.

Me gustó mucho porque conocí a mucha gente diferente. Todo el mundo me parecía muy simpático y me ayudaba cuando no sabía qué hacer.

Lo que más me gustó fue cuando fui al aeropuerto con mi jefe de sección. Creo que aprendí mucho sobre el turismo durante estas dos semanas ahora y tengo muchas ganas para seguir en esta carrera.

Espero verles en otra ocasión.

5

a Lee la carta de Guillermo y contesta a las preguntas.

1 ¿Por qué escribe la carta?
2 ¿Desde dónde escribe?
3 ¿Cuándo trabajó allí?
4 ¿Durante cuánto tiempo?
5 ¿Qué dice de la gente allí?
6 ¿Por qué crees que lo dice?
7 ¿Qué fue lo mejor de su práctica laboral?
8 ¿Qué carrera va a seguir ahora?

b Escribe una carta parecida.

Nosotros los jóvenes

1 ¿Cómo eres?

a Lee las descripciones. Escoge el dibujo adecuado.

1 Me encanta ir a discotecas.
2 Me gusta leer y hacer mis deberes.
3 Ayudo en casa.
4 No hago nada en todo el día.

b Escoge una sola palabra para resumir la descripción.

2 ¿Cómo son?

a ∩ Escucha y lee.

Yo diría que soy una persona bastante organizada e inteligente. Me entiendo bien con la gente mayor y soy flexible. Creo que soy capaz de tomar decisiones y escucho a otros. Tengo conocimientos de tecnología y ordenadores y me gusta el deporte.

b ∩ Escucha e identifica quién habla.

B
- creativo
- independiente
- trabajador
- determinado

C
- lógica
- puntual
- musical
- paciente

D
- serio
- algo tímido
- honesto

c Escribe en detalle la hoja de presentación para B, C o D. Sigue el ejemplo de A.

3 Descripciones

▼ Haz dos listas de diez palabras: una para describir a una persona que admiras y otra para describir a otra persona que desprecias.

▲ Haz dos descripciones orales o escritas de no menos de 90 palabras: una de una persona famosa que admiras y otra de una que desprecias.

4 A ti te toca

a ¿Cómo te describirías a ti mismo/a? ¿Cuáles son tus cualidades principales? Prepara una presentación oral.

b 👥 Prepara una descripción de tu compañero/a.
Pide su opinión: ¿es una descripción apropiada?

Soy	muy	honesto/a	egoísta	paciente
	bastante	responsable	pesimista	eficiente
	un poco	ambicioso/a	vago/a	nervioso/a

No soy nada ... (en absoluto)

La declaración universal de derechos humanos

Artículo dos Todos tenemos los derechos y libertades acordados en esta declaración, sin distinguirse de ninguna manera en cuanto a la raza, color, sexo, idioma, religión, opinión política u otra, origen nacional o social, propiedad, nacimiento o estatus.

5 Primeras impresiones

a Mira a este grupo de personas muy distintas. Di cómo son.

b ¿Qué crees que hacen en la vida (empleo/intereses/deportes)?

▼ Para cada persona escribe una lista.

▲ Escribe unas frases.

c 👥 Cambia los papeles. ¿Tu compañero/a tiene las mismas ideas que tú?

¿Qué diferencias hay? Discútelas.

¿Qué opinas ahora de tus primeras impresiones?

> al principio/primero/antes de pensarlo bien
>
> más tarde/al poco rato/después de pensar un poco
>
> Me he equivocado/me equivoqué
>
> (No) tenía razón

d 🎧 Escucha. ¿Tenías razón o no? Apunta las diferencias si las hay.

6 ¿Cómo es su vida?

a 🎧 Escucha. ¿Cuál de las fotos se describe?

b Imagina la vida de uno de los otros grupos. Escribe unos apuntes.

> ¿Qué habría/tendrías en tu casa?
>
> ¿Cómo sería tu rutina diaria?
>
> ¿Cómo pasarías el tiempo?
>
> ¿Qué harías?

c 👥 Explica a tu compañero/a lo que imaginas.

d Escribe sobre una de las fotos.

▼ Escribe unas seis frases.

▲ Escribe unas 60 palabras.

La amistad es …

1 Mis amigos y yo

a 🎧 Escucha a Pili.

Me preguntaste acerca de mis amigos, pues …

b 🎧 Escucha otra vez y anota el orden de las frases. Reorganízalas y escribe la carta de Pili.

> tengo mucha suerte
>
> y la misma clase de música
>
> eso es lo que más importa entre amigos
>
> me encantan las personas abiertas, generosas y animadas
>
> lo mejor es que nos gusta el deporte
>
> no me gustan las que son tacañas, holgazanas o demasiado combativas
>
> lo peor será cuando empiecen los amores más serios

c Di cómo es una persona que …

Ejemplo: 1 Es abierta.

1 no tiene secretos
2 no hace nada
3 no ofrece nada
4 es muy viva
5 siempre quiere discutir
6 da muchos regalos

2 Una carta de Guillermo

a Lee la carta.

> … bueno, te cuento que a los 13/14 años siempre me sentía incómodo en compañía de las chicas - tenía granos en la barbilla en vez de barba y era demasiado flacucho. Ahora no sé por qué, me siento mucho más cómodo y hasta conozco a una chica que me interesa bastante. Creo que ella también siente lo mismo. Lo bueno es que siempre salimos en el mismo grupo del club de surf pero lo malo es que no me atrevo a invitarla a salir conmigo. Es una chica risueña, dulce pero a la vez algo ambiciosa. Cuéntame de tu vida romántica - ¿tienes alguna enamorada o continúas siendo el mismo de siempre - deportista a morir?

b Completa las frases.

1 A Guillermo (no le gustaba/le encantaba) estar con las chicas.
2 Estaba un poco (gordo/delgado).
3 A la chica (le interesa/le aburre) Guillermo.
4 Es una chica (amable/fea).
5 Al amigo de Guillermo (le encanta/no le gusta) el deporte.

c Imagina que eres el amigo de Guillermo y escribe una respuesta.

3 El buzón de las amistades

a 🎧 Escucha e identifica la ficha.

C Escríbeme si eres vivo, hablador y divertido porque así soy yo.

D Quiero cartearme con chicos/chicas aventureros, audaces y enérgicos.

B Prefiero las personas serias, organizadas y seguras de sí mismas.

A Soy bastante tímido y me gustan las personas pacientes y modestas.

b ¿Cuál te conviene a ti? ¿A cuál escogerías para tu corresponsal?

Ejemplo: Creo que me llevaría bien con X porque me parece que es …

4 El amor a primera vista

a Lee y apunta tu opinión.

amor es...

...ir juntos para casa después de las clases

❶ ¿Crees en el amor a primera vista?
  a sólo pasa en las películas
  b sí, pero a mí no me pasaría nunca
  c sí

❷ ¿Qué te parece más cierto?
  a el amor es ciego
  b el amor es más fuerte que la muerte
  c el amor no existe

❸ ¿Te has enamorado de una persona famosa?
  a enormemente
  b a veces me siento atraído/a
  c no me pasa nunca

❹ ¿Crees que los horóscopos te dicen la verdad?
  a convencido/a
  b tal vez
  c absurdo

❺ Si te caes y alguien simpático te ayuda, dices ...
  a es mi destino – el amor de mi vida
  b gracias que me llegó una ayuda
  c qué amable eres

❻ ¿Has sufrido un fracaso sentimental?
  a hace tiempo
  b nunca
  c no tengo suerte con el amor

b 👥 Cambia tus apuntes con tu compañero/a. Discute las respuestas.

c ¿Cómo os clasificáis?

- Te enamoras fácilmente.
- Eres romántico/a a morir.
- Eres una persona prudente.
- Eres cínico/a en asuntos del corazón.

5 Un buen amigo ...

a Tú, ¿qué opinas? Lee estas frases.

tiene buen sentido de humor
no fuma
es guapo
es inteligente
nos divertimos juntos
nos comprendemos
siempre está cuando le necesito
se viste bien
hacemos los mismos deportes
me escucha
nos gustan las mismas cosas
me entiende

b Escribe una lista en orden de importancia de las cualidades más importantes de la amistad.

c 👥 Ahora discute tus opiniones con tu compañero/a. Añade más ejemplos si quieres.

Prefiero	tener un(a) amigo/a	que	tenga paciencia/buen
Me encanta			sentido de humor
No me gusta			sea inteligente/guapo/a
En mi opinión	(no) es importante que		se vista bien
Creo que			me entienda/comprenda
Me parece que			me escuche/no fume
Lo bueno/lo malo	es tener un(a) amigo/a que		me guste
Lo mejor/lo peor			haga los mismos deportes
Lo que más importa			esté cuando le necesite

Asuntos de familia

1 ¿Quién se queja de quién?

a Mira las quejas de Alejandro y su familia.

b ∩ Escucha y clasifica las quejas.

padres	jóvenes

c 👥 ¿Cuáles son las quejas más graves y las menos graves?

¿Hay unas quejas que no se justifican?
¿Hay unas que sí?
Escribe una lista y discútela con tu compañero/a.

d ¿De qué te quejas tú? ¿De qué se quejan tus padres/abuelos? ¿De qué se quejan de ti en tu casa?

Es justo/injusto

(No) estoy de acuerdo

(No) tiene razón

Es mentira

Es verdad

No ayuda nunca en casa.
Se han olvidado de su juventud.
Jamás regresas a tiempo.
No quieren ver mi punto de vista.
No saben lo que es madrugarse.
A veces me dejan solo/a en casa.
No respetan a los mayores.
Nunca tengo suficiente dinero.
No les gustan mis amigos.
Aquí quien manda soy yo.

2 ∩ ¿Los padres, qué piensan?

Escucha. ¿Qué piensan los padres de los amigos de sus hijos? Rellena la tabla.

Número	Buena/mala influencia	Razón
1	buena	cortés y amable

3 ¿Qué están diciendo?

a ∩ Escucha e identifica la escena.

b ¿Cuáles son sus reacciones? ¿Qué te parece?

▼ Escribe una frase para los padres y otra para el hijo/la hija.

▲ Describe la situación en cada dibujo.

Voy a	regresar a .../recoger mi cuarto/fregar los platos

¿Qué hora es?

¿Qué estás haciendo?

Dijiste que/habías dicho que ...

Prometiste que/habías prometido de ...

4 El buzón de la tía Tula

a 🎧 Lee y escucha. ¿Qué solución aconsejan?

A Querida tía Tula:

¿Qué debo hacer? Mis padres no me dejan salir nunca con el grupo si hay chicos. Siempre tengo que salir con mis hermanos mayores y ellos me cuidan mucho. Tengo 15 años y soy completamente inocente. Ni siquiera sé como hablar con un chico de mi edad.
Teresa, Ávila

- Escápate una noche de la casa y sal a una disco.
- Trata de hablar con tus hermanos y explícales lo que sientes.
- Habla con tus amigas en el colegio.

B ¡Ayúdame tía Tula, por favor!

Soy hijo único; mis padres me quieren mucho pero siempre están ocupados trabajando y no me hablan y no salimos a ninguna parte. Casi no tengo amigos y me siento muy solo.
Javier, Lérida

- Invita a unos amigos a tu casa.
- Hazte socio de un club juvenil o deportivo.
- Escríbeles a tus padres una carta diciéndoles cómo te sientes.

b ¿Tú crees que es la mejor solución? Di lo que aconsejarías tú.

c Escribe a la tía Tula con un problema verdadero o inventado.

d ¿Qué tal la solución ofrecida? Di si estás de acuerdo o no.

C Hola amigos/amigas de tía Tula

Quiero que sepáis que no todos los padres son ogros. Mis padres no me controlan en nada. ¡Puedo salir cuando quiera adondequiera con quien sea! Este es mi problema – ¿qué les parece?
Bernardo, Madrid

- Sin duda alguna tienes un problema. Trata de imponerte tus propias reglas y un horario.
- Diviértete todo lo que puedas – ¡fiestas todas las noches!
- Habla con tus profesores y pídeles consejos también.

D Tía Tula, ¿cómo hago?

Estoy saliendo con una chica pero sólo para darle celos a mi ex-novia. Ella es muy dulce y tierna y ahora no sé cómo decirle la verdad. No quiero trastornarla. Aconséjeme.
Juan Pablo, Cáceres

- Corta con ella lo más pronto posible.
- Dile que quieres continuar como amigos, nada más.
- No tienes más remedio. Hay que decirle la verdad.

E Imagínese, tía Tula

Tengo 15 años y muerdo mis uñas todavía. Sé que es un problema común y no es tan grave pero me tiene loca. No puedo parar. He tratado mil soluciones pero en balde. ¿Qué hago?
Ana, Barcelona

- Ponte unos guantes, así será más difícil.
- Cómete caramelos o chicle.
- Trata de relajarte y verás que no las muerdes.

(No) me llevo bien con	mi padre	porque	es	simpático
	mi hermano			antipático
			me respeta	
			me quiere mucho	
			me molesta	

Mi barrio

1 Casas de Colombia

a 🎧 Escucha e identifica la casa.

A Un apartamento en el centro de una ciudad ruidosa y moderna

B Una casa antigua en una ciudad muy bonita y limpia

C Una casa en pleno campo – muy sencilla pero adecuada

D Una casa sobre pilotes en el agua – muy tranquila

b 🎧 Escucha otra vez. Copia y rellena la tabla. ¿Qué opinan de su barrio o de su casa?

Barrio/casa	Opinión (✓/✗)	Razón

limpio   concurrido   tranquilo
aislado   antiguo   bonito

2 👥 A ti te toca

Y tú, ¿qué opinas de tu barrio o de tu casa?

Lo que	más	me gusta	me encanta	me molesta
	menos	me importa	me fascina	

Francamente estoy en contra de/a favor de

3 ¡Atascos, siempre atascos!

a Lee la carta.

Página de nuestros lectores – ciudad verde

Francamente hay demasiados coches en las calles hoy en día. Es imposible pasearse como antes – hoy hay riesgo mortal cuando salgo de mi casa. No solamente es el ruido del tráfico sino también la contaminación que me preocupa – y eso es de día. De noche es aún más peligroso porque no hay suficiente luz en la calle y todos quieren conducir lo más rápido posible.

En mi opinión lo mejor sería prohibir todos los vehículos en el centro de la ciudad de día o por lo menos reducir el número de coches al imponer una tarifa para los que quieren ir al centro. El único remedio a este problema tan grave será invertir una gran suma de dinero en el sistema de transporte público.

b Completa las frases.

1 La persona que escribe se queja del _____ .

2 Dice que también hay mucha _____ .

3 No le gusta salir de noche porque le parece que es _____ .

4 Tiene miedo de los coches que van muy _____ .

5 Quiere prohibir que los coches entren en _____ .

4 Quejas y remedios

 Hay demasiado
grafiti
turismo
ruido
crimen
papel
basura en los parques
tráfico
daño

No hay suficientes
basureros
servicios para minusválidos
canchas de tenis

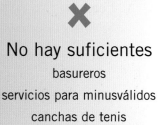 **Hay que**
limpiar los parques/las calles
limitar el tráfico/los turistas
construir más servicios
reparar las calles/los daños
alumbrar los parques/las calles
conservar los parques
poner basureros en la calle

a En tu barrio, ¿de qué te quejas?

▼ Haz una lista de aspectos negativos y positivos – escribe una palabra para cada uno.

▲ Escribe unas frases de lo que opinas – los aspectos negativos y positivos.

b 🗩 Inventa un diálogo sobre tu barrio usando las preguntas de abajo.

¿Dónde vives? ¿En una ciudad/un pueblo/una aldea/un puerto?

¿Qué tipo de barrio es? ¿Es interesante/industrial/histórico/moderno/turístico/tranquilo/aislado?

¿Dónde está situado? ¿En la costa/en las montañas/en un valle/en pleno campo/cerca de un río ... ?

¿Qué hay allí? ¿Hay una iglesia/un castillo/un parque/monumentos?

¿Qué más puedes decir? ¿Cuántos habitantes hay?

¿De qué te quejas? ¿Qué remedios hay?

¿Dónde prefieres/preferirías vivir? ¿En el campo o en la ciudad?

El medio ambiente

1 Los Parques Nacionales

a Lee.

Los Parques Nacionales de España

España ofrece una variedad y diversidad enorme de paisaje, flora y fauna. Gracias a los Pirineos, que forman una barrera natural que se extiende de Vizcaya al mediterráneo, los animales y flores ya presentes se quedaron encerrados del resto de Europa y han evolucionado independientemente. Lo mismo pasó cuando se formó el trecho de mar entre Gibraltar y África. Muchas especies africanas quedaron encerradas en España. Hay muchos parques naturales pero son los once parques nacionales – el primero de los cuales se fundó en 1918 – que desempeñan un papel importante de conservación.

Nombre	Tamaño (hectáreas)	Conocido por	Tipo
1 Picos de Europa	64,660	águila dorada	
2 Ordesa y Monte Perdido	16,000	cabras	montaña
3 Aigües Tortes	10,230	150 lagos altos	
4 Tablas de Daimiel	1,928	pájaros migratorios	pantano
5 Doñana	75,000	águila imperial, lince	
6 Archipiélago de Cabrera	1,836	halcones, reptiles, plantas	isla
7 Cabañeros	41,805	buitre negro, jabalí	bosque
8 Garajonay	3,975	selva	
9 Caldera de Taburiente	4,690	geología/plantas	
10 Teide	13,500	volcán activo, violetas	volcán
11 Timanfaya	5,170	lagartos	

b ∩ Escucha. ¿Qué parque se describe?

▼ Anota el número.

▲ Anota también los detalles.

c Contesta a las preguntas.

1 ¿Cuál es el parque nacional más grande?

2 ¿Cuál es el parque nacional más pequeño?

3 ¿Cuántos parques están en una isla?

4 ¿Cuántos tienen volcanes?

5 ¿Cuántos parques son conocidos por sus pájaros?

2 ∩ El parque nacional del Teide

Escucha a Guillermo y anota cinco ventajas y dos desventajas.

3 Es nuestra tierra – protejámosla

 A

 B

 C

 D

 E

a 🎧 Escucha e identifica el problema.

 F

 G

la polución de los ríos
la lluvia ácida
la deforestación
la basura doméstica
las capas de petróleo
la polución sonora
los desechos radiactivos
la contaminación atmosférica

 H

4 El peligro que enfrenta nuestro planeta

Empareja cada problema con una definición.

1 la deforestación
2 la sobrepoblación
3 el sobrepasturaje
4 la sobrepesca/caza
5 la sequía
6 la erosión de la tierra
7 la destrucción de especies
8 la destrucción de la capa de ozono
9 la lluvia ácida

Hay demasiados animales domésticos.
Atrapan a demasiados animales y peces.
No llueve y la tierra se vuelve desierto.
Se cortan todos los árboles.
Destruyen el hábitat de los animales y pájaros.
Hay demasiada gente en el mundo.
La polución química entra en el ciclo de las aguas.
La lluvia y el viento levantan la tierra.

¿Eres un buen ciudadano?

1 Noticiero Verde

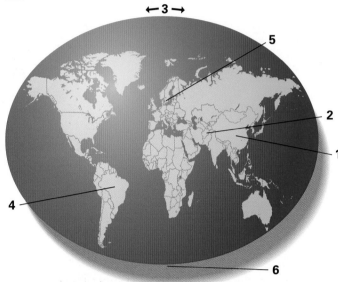

a ⌒ Escucha y clasifica el problema.

- clima
- animales
- contaminación
- reciclaje
- cultivos
- selva – deforestación

b ⌒ Escucha otra vez.

▼ ¿En qué país o en qué parte del mundo pasa? Escribe la letra.

▲ Añade unos detalles.

c Lee y empareja las noticias con los titulares apropiados.

1 **El Popacatépetl cubre de cenizas la ciudad de México**

2 **Hacía 30 años que no nevaba en junio**

3 *Tortugas gigantes de los Galápagos en peligro*

4 *Selva tropical en vía de desaparición*

5 **LA CAPA DEL OZONO SIGUE EN PELIGRO**

A Pájaros, plantas y animales dependen del Amazonas pero cada año nosotros los hombres destrozamos más de 8 millones de hectáreas de árboles tropicales.

B El volcán entra en actividad con el conato de erupción más fuerte desde 1925.

C El hueco en la zona de Antártida descubierto por el científico inglés Joe Farman sigue creciendo y ya hay cambios bruscos de clima que se atribuyen a este fenómeno.

D Hace 30 años solamente vivían 400 personas en las islas pero ya hay 15.000 y amenazan a los animales en su hábitat natural.

E Vacaciones en peligro – el pasado fin de semana cayó una nevada tardía que sorprendió a muchos que se bañaban en la playa.

2 ¿Qué remedios hay? page 160

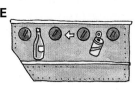

Mandados (tú)	
positivos	
-ar	-er/-ir
prepara	protege/reduce
negativos	
-ar	-er/-ir
no prepares	no protejas/no reduzcas

a Lee y empareja los dibujos con las normas.

1 Economiza agua y luz.
2 Recicla latas y botellas.
3 No uses sprays.
4 Baja la calefacción y cierra las cortinas.
5 Cuida el escape – conduce despacio.
6 Protege la flora y fauna.

b Da más ejemplos. Inventa un eslogan y dibuja un póster.

c Compara tu ejemplo con los demás de la clase.

d Escribe una norma positiva y una negativa.

Ejemplo: Economiza el agua. No dejes el grifo abierto.

3 Hagamos un parque ecológico

a ¿Qué habrá allí? Escribe unas frases.

una cafetería vegetariana y sin alcohol, no fumadora

una tienda con productos naturales todo en papel reciclado (aun el higiénico)

Cruz Roja homeopática

gasolina sin plomo

museo de objetos nocivos (difuntos)

Todo funciona a base de paneles solares y molinos de viento

b En grupos discute los problemas. Da tu punto de vista y propón unas soluciones. Prepara una presentación oral y escrita para tu clase.

Hay que	economizar	agua/luz
Debemos	reciclar	papel/cartón
Tenemos que	proteger	los árboles/a los animales
	cuidar	las selvas y los bosques
Habrá/habría que	usar	más/menos ...
	bajar	la calefacción
Deberíamos	construir	fábricas verdes
Tendremos/tendríamos que	inventar	cosas reciclables

La vida escolar

1 Educación Secundaria Obligatoria – ESO

a Lee.

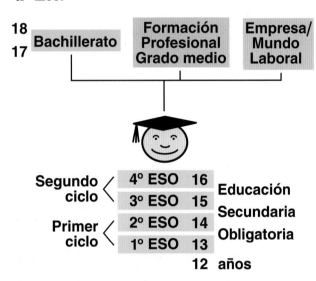

18
17 **Bachillerato** | **Formación Profesional Grado medio** | **Empresa/ Mundo Laboral**

Segundo ciclo ⟨ **4º ESO** 16 / **3º ESO** 15 ⟩ **Educación Secundaria Obligatoria**

Primer ciclo ⟨ **2º ESO** 14 / **1º ESO** 13 ⟩

12 años

Organización y horario Áreas y materias	1.er Curso	2.º Curso	3.º Curso	4.º Curso
Lengua Castellana y Literatura	4	3	3	3
Lengua Extranjera	3	3	3	3
Matemáticas	3	3	3	3
Ciencias Sociales, Geografía e Historia – La vida moral y la reflexión ética	3 –	3 –	3 –	3 2
Educación Física	2	2	2	2
Ciencias de la Naturaleza	3	3	4	3**
Educación Plástica y Visual	2	2	2	3**
Tecnología	2	2	3	3**
Música	2	2	2	3**
Optativas	2	2	2	6
Religión/Actividades de Estudio	1	2	2	1
Tutoría	1	1	1	1
Total	28	28	30	30

** El alumno deberá escoger dos áreas de las cuatro señaladas

Materias optativas

El currículo permite materias optativas que pueden ser diferentes en cada centro.
Es obligatorio ofrecer:

- segunda lengua extranjera (1er y 2º ciclo)
- cultura clásica (2º ciclo)
- iniciación profesional (2º ciclo)

Los centros que desean establecer materias optativas distintas de éstas deberán solicitar su autorización a la Dirección General de Renovación Pedagógica.

Educación Secundaria no obligatoria

Finalizada la ESO todo alumno puede continuar con:

- cualquier de las modalidades de Bachillerato:
  - Artes
  - Ciencias de la Naturaleza y de la Salud
  - Humanidades y Ciencias Sociales
  - Tecnología
- la Formación Profesional – grado medio

Finalizado el bachillerato todo alumno puede continuar con:

- la universidad
- la Formación Profesional – grado superior

b Completa las frases.

1 Hay _____ materias comunes en la ESO.

2 Es posible estudiar _____ como optativa.

3 En el cuarto curso tienen _____ horas de materias optativas.

4 Los colegios pueden establecer optativas _____ si quieren.

5 Hay que completar la _____ antes de comenzar el _____.

6 Hay _____ modalidades del bachillerato.

7 Al finalizar el bachillerato se puede ir a la _____ .

8 Tienen _____ grados de formación profesional.

2 ∩ El problema con mi colegio

Escucha. Copia y rellena la tabla.

Aspecto	▼ Problema	▲ Solución
cafetería	muy pequeña	hacer otra más grande/ salir del colegio (durante la hora del almuerzo)

3 Oportunidades para todos

a Mira las fotos.

¿Cuántas nacionalidades distintas se ven? ¿Cuáles son?

¿Qué diferencias se notan – en las caras, el uniforme ...?

¿Qué dificultades puede haber para ellos en tu colegio?

b ◠ Escucha a un grupo de estudiantes hablando y expresando sus opiniones. Anota tres aspectos positivos y tres negativos.

c Dibuja un plano de tu colegio. ¿Qué estorbos y obstáculos hay para una persona minusválida? Escribe una lista y sugiere soluciones.

Ejemplo: No hay ascensor. Habría que instalar uno.

> Antes de poder ...
>
> Sería necesario ...
>
> Tendríamos que ...
>
> Habría que ...

4 El colegio ideal

¿Cómo sería el colegio ideal? Considera estos aspectos:

- los profesores
- el uniforme
- la cafetería
- las aulas
- las instalaciones

a En grupos discutid y desarrollad vuestras ideas.

b Escribe

▼ 75 palabras

▲ 110 palabras

sobre tu colegio ideal.

En mi colegio ideal	(no) habría	
El colegio	tendría	
El profe ideal	sería	
El uniforme		más
La cafetería	estaría	menos
Para deporte	jugaría	
En clases	estudiaría	
Los libros de texto	serían/tendrían	

c Comparad vuestras ideas con la situación actual. ¿Qué opináis? ¿Cómo creis que podéis influir las cosas o hasta cambiarlas?

Normas y reglas

1 ¡No fumes! page 160

a Empareja las señales con una frase adecuada.

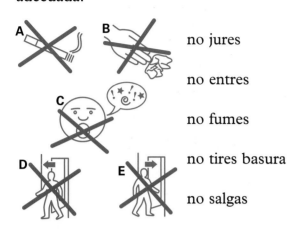

no jures

no entres

no fumes

no tires basura

no salgas

b Inventa reglas y dibuja señales.

Ejemplo: Prohibido comer chicle.

> No (coma)
>
> Favor no (comer)
>
> Se le ruega que no (coma)
>
> No se permite (comer)

2 ¿Te acuerdas de tu primera escuela?

a ∩ Escucha a este grupo de estudiantes. Anota tres aspectos positivos y uno no tanto.

b ¿Y en tu colegio hoy en día?
En grupos discute y anota tres aspectos positivos y tres negativos.

> ¿Está limpio/sucio?
>
> ¿Hay muchos/pocos castigos?
>
> ¿Es ruidoso/tranquilo?
>
> ¿Hay uniforme?
>
> ¿Tiene biblioteca/cafetería/campo de deporte?

c Escribe unas normas para cada aspecto.

Ejemplo: Mi colegio está muy limpio. Hay que mantener el colegio limpio de papeles y grafiti.
Haz unos dibujos para ilustrar tus ideas a mano o con el ordenador.

3 Derechos y deberes

Lee esta declaración. Inventa otros ejemplos.

En este colegio cada estudiante tiene el derecho de	En este colegio todo alumno tiene la responsabilidad de
• estudiar en un ambiente adecuado	**a** mantener el colegio limpio
• expresar su opinión	**b** no insultarse ni amenazarse
• sentirse seguro y sin miedo	**c** llegar a tiempo a clase
• celebrar todos sus éxitos	**d** traer el equipo necesario para cada curso

4 El maltrato y la intimidación ...

a Lee el artículo.

... existen en todos los colegios del mundo. Unos matones creen que pueden cometer actos de agresión contra otros. Les amenazan o les quitan su reloj, una chaqueta de valor, su walkman, zapatillas de marca – o su dinero. Muchas veces cogen a escolares entre 11 y 16 años que se sienten tímidos y no demuestran confianza en sí mismos. La mayoría del tiempo las víctimas se quedan calladas por miedo a represalias.
Poco a poco se vuelven cada vez más ensimismadas y hasta llegan a perder el apetito o a sentirse culpable de lo que ha pasado. No se atreven a denunciar el delito.

b Completa las frases.

1 Un matón es una persona que ...

2 Un matón suele ...

3 Muchas veces las víctimas son ...

4 No hablan de lo que les pasa porque ...

5 A veces ocurre que ...

c Contesta. En el colegio ...

1 ¿Alguien te ha intimidado alguna vez?

2 ¿Tú has intimidado a alguien alguna vez?

3 ¿Conoces a algunos/as que lo hacen?

4 ¿Conoces a alguno/a que ha sido víctima?

5 ∩ ¿Qué se puede hacer?

Escucha. ¿Estás de acuerdo o no con estos consejos?

* Habla con un profesor.
* Deja tus cosas de valor en casa.
* Vístete con ropa normal para el colegio.
* Haz lo que te dicen.
* No les hagas caso.
* No vayas al colegio con tu walkman.
* No te calles el problema.
* No te quedes solo/a durante el día.

6 ¿Cómo te sentirías si ...? ¿Qué harías si ...?

Te amenazan con una navaja/un cuchillo.
Te quitan el dinero.
Te saltan en la cola en la cafetería.
Te piden prestado el walkman y no te lo quieren devolver.
Te fuerzan a fumar en los retretes.
Te sacan el pie adrede y te caes.
Te insultan a ti o a tu familia.
Maltratan a un minusválido.

a 👥 Discute con tu compañero/a lo que harías o cómo te sentirías.

b Da unos consejos a una víctima.

Hablaría con ...

Trataría de ...

Me sentiría ...

Estaría ...

Yo que tú no llevaría ... no iría ...

¿Cómo te va en los estudios?

1 El intercambio

a Lee la carta.

Gloucestershire - junio

¡Hola amiga!

No vas a creer lo lindo que es esta región de Inglaterra. Aquí en este pueblo todas las casas son antiguas. Todo el mundo se levanta temprano a las seis y media – ya hace sol desde las cinco, ¡imagínate! Te cuento que no hay bus escolar y tenemos que caminar al cole – ¡cosa inaudita!

La comida de la cafetería ni se diga es igual de mala e inapetitosa. Parece universal, ¿verdad? El primer día no entendí ni jota de las clases pero ahora va mejor pero con las mismas clases de siempre de aburridas.

Me hace reír la abuela que es muy curiosa y siempre está preguntándome sobre mi casa y mi familia. El hermanito es como todos – molesta mucho. Tienen un perro adorable. Ha habido momentos difíciles cuando añoro a los míos y mi casa pero falta poco para regresar así que ánimo y nos vemos muy pronto.

Un abrazo fuerte

b Contesta a las preguntas.

1 ¿Cómo le parecen las casas de la región?

2 ¿A qué hora comienza a hacer día?

3 ¿Cómo van al colegio?

4 ¿Qué opina de la comida en la cafetería?

5 ¿Cómo pasó el primer día?

6 ¿Por qué le hace reír la abuela?

7 ¿Qué le parece el hermanito?

8 ¿Por qué crees que dice 'ánimo'?

c ¿Cuáles son los aspectos positivos y cuáles son los negativos de su experiencia? Escribe dos listas.

d Y tú, ¿qué opinas del valor de hacer un intercambio?

Creo que		útil	cambiar ideas/de cultur
En mi opinión	(no) es	inutil	hacer amigos extranjer
Me parece que		interesante	ver cosas diferentes
			comer platos distintos
			seguir una rutina diferente

(No) me gustaría hacer un intercambio porque …

2 ⌒ En clase

Escucha y anota las diferencias.

Inglaterra	España

Hay unos aspectos similares?

3 Las primeras impresiones

Prepara una presentación oral. Aquí están tus notas:

Me levanto a las 7 30 – lo mismo como en mi casa.

Colegio es igual de aburr——

No tienen clases de Pshe ni assembly

Día muy largo

¡Recreo!

Comida diferente - muy tarde domingo

Abuelos viven en casa

4 ⌂ ¿Cómo van?

Escucha y anota:

- nombre
- asignatura
- actitud
- calificación
- opinión

5 Consejería estudiantil

a Lee y busca un consejo adecuado.

b Inventa un consejo para el problema que sobra.

A   Tengo pánico de los exámenes. ¿Qué puedo hacer para controlar mis nervios?

B   No quiero seguir con los estudios – menos en este colegio – pero mis padres insisten. ¿Qué me aconseja?

C   No sé cómo organizarme – soy tan desordenada ... ¿Qué consejos me puede dar?

D   Voy mal en casi todas mis asignaturas y ya no hay tiempo para mejorar – ¡Ayúdeme, por favor!

E   ¡Caramba! ¡Tengo tantos deberes! Los profes quieren todas las tareas al mismo tiempo. ¿Qué hago?

F   Mis padres creen que soy un genio – insisten en sobresaliente en todas las asignaturas. ¿Cómo puedo decirles la verdad?

> **1** Escribe una agenda con las fechas y lo que tienes que hacer y habla con tu profe.

> **2** Anota todos los deberes y habla primero con tu profe y luego con tus padres.

> **3** Pon los libros en grupos de acuerdo con la asignatura y tus notas en una carpeta.

> **4** Cierra los ojos, respira a fondo y tranquilízate diciendo 'Voy a hacerlo bien'.

> **5** Busca un curso en otro colegio o instituto y habla con tus padres.

6 ⌂⌂ A ti te toca

Tu compañero/a tiene un problema en el colegio. Dale consejos.

Yo que tú ...

haría   hablaría   estudiaría   buscaría   anotaría

The perfect tense

We use the **perfect** tense to say what has happened or has taken place in the recent past. It is also used in questions which refer to the past but not to any particular time.

The **perfect tense** has two parts. You take the present tense of the verb *haber*:

he	hemos
has	habéis
ha	han

You then add the past participle, which is formed by:

- taking the infinitive of regular verbs: mir**ar**   com**er**   sal**ir**
- removing the ending: mir   com   sal
- adding: **-ado**   **-ido**   **-ido**

He visto el partido de fútbol en la tele porque no quedaban entradas.

I watched the football match on TV because there weren't any tickets left.

Hemos comido demasiado y ahora tenemos sueño.

We've eaten too much and now we feel sleepy.

Han ido al estadio porque el partido va a empezar.

They've gone to the stadium because the match is about to start.

In the case of reflexive verbs you put the pronoun before both parts of the verb.

Me he levantado tarde
Te has levantado etc.

The pluperfect tense

We use the **pluperfect** tense to indicate an action that had happened and was completed before another action took place in the past.

It is formed in the same way as the perfect tense but with the **imperfect** tense of the verb *haber*:

había	habíamos
habías	habíais
había	habían

You then add the past participle, as for the perfect tense.

Me levanté tarde porque había olvidado de poner el despertador.

I got up late because I had forgotten to set the alarm clock.

La calle estaba mojada porque había llovido en la noche.

The street was wet because it had rained in the night.

Le escribí una carta porque había perdido su número de teléfono.

I wrote her a letter because I had lost her phone number.

Some common irregular past participles are:

abrir ➡ abierto	poner ➡ puesto
decir ➡ dicho	romper ➡ roto
escribir ➡ escrito	ver ➡ visto
hacer ➡ hecho	volver ➡ vuelto

1 How good is your memory?
Invent a rhyme to help you remember the irregular past participles:
A D E H P R V V

The perfect tense

2 Read this letter and copy it, including the correct past participles of the verbs.

¡Hola! En tu carta has (preguntar) si he (pasar) bien las vacaciones. Bueno, pues te cuento que todo me ha (salir) divinamente. Primero hemos (poder) nadar todos los días – a veces me he (bañar) dos o tres veces durante el día.
En tu próxima carta dime lo que has (hacer) durante tus vacaciones, dónde has (ir) y con quién, qué has (ver) de interesante y cuándo has (volver).

3 Look at the list of things to do and write questions.

Example: recoger tu habitación = ¿Has recogido tu habitación?

recoger tu habitación/la sala

limpiar los zapatos/el coche

ir al dentista/al cine

escribir a los abuelos/los deberes

hacer la cama/las compras

abrir la ventana/la puerta

fregar los platos/pasar la aspiradora

sacar la basura/poner la mesa

cortar el césped/regar las plantas

dar de comer al gato/trabajar en el jardín

lavarse el pelo/los dientes

4 Take turns to ask and answer questions.

¿Has recogido tu habitación?

Todavía no, pero he recogido la sala.

The pluperfect tense

5 Decide what happened first: A or B. Write complete sentences.

6 Your friend is a show off! Here is the list of things he did during the holidays. Write your reaction: you did everything first!

Example: Mi amigo visitó la Sagrada Familia pero nosotros la habíamos visitado antes.

Visitamos la Sagrada Familia.

Fuimos al Barrio Gótico.

Compramos el último disco de Shakira.

Ganamos el campeonato de baloncesto.

Aprendí a conducir el coche.

Aprobé el examen de física.

Me inscribí en el club de surf.

Vi el espectáculo anoche.

7 Go back through all the past tenses you have learnt and make a chart or timeline to help you remember how they are used (see page 107).

Mañas

Preparing for your final exam

Go back and revise all the tips in the Mañas sections. Make out a card for each of the skills: listening, speaking, reading and writing. Remember they are all of equal value.

Remember also that all the units you have covered so far may be included – how many is that in total?

Make sure you know exactly what you will have to do. Practise on some past papers so you are familiar with the style and format of each exam paper.

Vocabulary

For each topic make out a learning/revision card (see page 66). Only write down the key words and phrases you need – and try to limit these to 10.

If you think you really know the words then take them off the card and only leave the ones you aren't sure about. Learn a card a day on your way to school!

Listening

Tune the radio into a Spanish-speaking frequency and listen to something like the news, the weather or a football match. You can anticipate some of the sounds and words you will hear:

¡GOOOOOOL de Ronaldo!

Enjoy viewing some of the Spanish soaps – *Betty la Fea* is a great example. Practise speaking to a friend in Spanish as you walk to school.

The oral test

How many role plays do you have to perform?
How many topics does the conversation cover?
Are there different groups of topics?
How do you choose?

How long do you have to prepare?
Are you allowed to make any notes?
If so, are you allowed to take them into the exam with you?
Look back at Mañas 1B, 3A and 3B for advice on making notes for oral tests.

How long will the test last?
How long will it take you to perform the role play?
So how long does that leave for you to take part in the conversation?
Work out how much you can sensibly say in that time.

Role play

Prepare a list of basic role-play questions. Practise these with a friend as you need to be able to ask questions as well as understand them.

For example, start with: ¿*Cuándo?* and ¿*Dónde?* and then think of different questions related to these and link them to a verb:

¿*Cuándo ... llega – sale – abre – cierra – termina – comienza?*

¿A qué hora? ¿Qué fecha? ¿Qué día? ¿Adónde va? ¿De dónde viene? ¿Dónde está?

Conversation

Prepare a series of revision cards for each of the topic headings.

• Write down the most important words for each one.

• Find some suitable adjectives to describe these words.

• Add an appropriate opinion.

- Give a reason.
- Can you remember the 5 'W' question words?
- Can you add a past or future tense to each one?

A	B
Self, family and friends Education Career and future plans	The environment Health Youth culture

It is a good idea to say something to start off the exam so practise some greetings:

¡Hola!   Buenos días.

¿Cómo está usted?

It also helps to finish off with:

Gracias.   Adiós.   Hasta luego.

Record yourself and get used to the sound of yourself speaking Spanish.

Reading

Many Spanish magazines and newspapers are available in Britain – buy one and see just how much you can understand.

There are also many useful websites – ask your teacher for advice.

Writing

> How long does the exam last?
> How many tasks do you have to do?
> Is there a choice of tasks?
> Which level are you?
> How many words are you expected to write for each task?

Work out a system for timing yourself. For example, if the exam lasts 40 minutes and you have to do two tasks – one of 30 words and one of 75 words – then you should time yourself as follows:

1 30 words = approximately 12 minutes
   2 minutes to think and plan
   8 minutes to write your work
   2 minutes to check

2 75 words = approximately 28 minutes
   3 minutes to think and plan
   20 minutes to write
   5 minutes to check

Now work out how to time yourself for one task of 75 words and one of 110 words in 50 minutes.

Content

- Tick off each item on a list or in the picture stimulus as you cover it.
- Underline any questions in a letter or text and make sure you answer each one appropriately.
- Keep a balance so that you don't write too much on one aspect only.
- Should you use the formal *usted* or informal *tú* style?
- Check you have covered the TAPAS list you invented for yourself.

Practise as much as you can by:

- starting with 30 words only and then increasing the number gradually.
- adding some suitable adjectives and opinions.
- extending sentences using linking words or time-sequence phrases.
- writing in the past and the future tenses as well as the present.
- checking a friend's piece of writing by applying the TAPAS rule.

1 ¿Cómo seré yo?

a 🎧 Escucha a Elena. Copia el texto y rellena los espacios con una palabra adecuada.

En este momento estoy 1 _____ y vivo con mis padres.
Estoy estudiando en 2 _____ cursando el segundo ciclo de la ESO antes de comenzar el bachillerato.
Dentro de 3 _____ años estaré estudiando en 4 _____ . Me gustaría estudiar 5 _____.
Dentro de 6 _____ años, ¿qué será de mí? ¿Casa? ¿Hijos? ¿Vida 7 _____? ¿Todo?
Cuando tenga 50 años, ¿cómo seré? ¿Tendré 8 _____ canoso? ¿Tendré 9 _____ arrugada?
¿Llevaré 10 _____?

la universidad	soltera	gafas	el pelo
el instituto	quince	medicina	la cara
cinco	profesional		

b Lee la carta de Alejandro.

Por ahora estoy contento estudiando en el colegio preparando el bachillerato.
Pero me gusta la música tanto que no sé si seguir con una carrera tradicional – abogado, por ejemplo – para estar seguro de ganar mi vida o si seguir mi pasión y arriesgarme un poco, haciendo lo que me llama la atención.

c 👥 Discute con tu compañero/a: dentro de cinco años, ¿qué será de Alejandro?

¿Estará estudiando/trabajando/cantando?

¿Tú, qué opinas? Decide por él.

d 🎧 Ahora escucha a Alejandro. ¿Tu decisión coincide con la de Alejandro?

2 ¿Qué esperas del siglo 21?

a Lee el artículo.

¡De aquí a unos años habrá mucho trabajo pero no empleo!

Según un estudio reciente cerca de las tres cuartas partes de los estudiantes que han realizado prácticas en empresas durante sus últimos años de estudios obtienen un empleo o en esta misma empresa o por conexiones con ella. El 84 por ciento de los estudiantes entrevistados se declararon a favor y dijeron que recomendarían a sus compañeros una experiencia similar.

Por su parte los empresarios reconocen que los trabajos que hacen los jóvenes en estas prácticas son útiles para la empresa porque no sólo aportan nuevas ideas sino también ayudan a la empresa en su selección más tarde. Todos están de acuerdo en que la maduración del joven aumenta gracias a esta primera experiencia.

Unos pocos estudiantes cuentan con la suerte para ganar su primer puesto o empleo y otros con el apoyo de la familia. La mayoría dice que un diploma es importante pero lo que más vale son las cualidades personales de cada cual.

b 🔲 Busca las palabras que no conoces en tu diccionario.
En el primer párrafo busca una frase o palabra que signifique lo mismo que:

1 aproximadamente 75 por ciento
2 unos años antes de terminar de estudiar
3 estaban de acuerdo
4 una temporada parecida

c Explica en inglés lo que significa:

1 de aquí a unos años
2 según un estudio reciente
3 que han realizado
4 por conexiones con ella

3 A ti te toca

¿Qué opinas de la práctica laboral? Prepara tus ideas para conversar sobre este tema.

4 Castillos en el aire

a Mira y lee los ejemplos.

Si tuviera una moto podría llegar más rapido al trabajo.
Si ganara la lotería compraría una isla en el Caribe.

b Ahora completa las frases para los otros.

1 Si me graduara ...

2 Si fuera modelo ...

3 Si fuera director(a) de la empresa ...

4 Si fuera primera ministra ...

5 Si no tuviera exámenes ...

6 Si tuviera más tiempo ...

c Un poco de imaginación. ¿Qué castillos puedes inventar tú?

Mi futuro

1 🎧 Mis ambiciones

a Escucha.

▼ ¿Qué les gustaría hacer o ser?

▲ ¿Por qué?

Ejemplo: A María le gustaría ser periodista porque le gusta escribir y le interesa la gente.

piloto	veterinaria	no sé	bailarina
mecánico	azafata	programador
representante	abogado

b ¿Y tú? ¿Cuáles ambiciones tienes?

Me gustaría	ser	enfermera/piloto/profesor(a)
Tengo la intención de	trabajar como	cooperante/voluntario/a
Espero	hacerme	rico/a responsable de
Quisiera	viajar	por el mundo entero

No lo sé todavía.

2 🎧 En el año 2020

Escucha a los jóvenes imaginando su vida en el año 2020.

¿Cuántos años tendrán? ¿Como serán? ¿Qué estarán haciendo?

3 Un poco de imaginación

a Imagina tu vida en el año 2020. Escribe:

¿Cómo serás? ¿Qué estarás haciendo? ¿Cuantos años tendrás?

Me casaré con
Viviré en
Viajaré a
Tendré
Trabajaré en
Compraré

b 👥 Predice a tu compañero/a. ¿Cómo será dentro de 5 o 20 años?

Muéstrale tus ideas. ¿Está de acuerdo? Discute las diferencias.

¿Qué harás? ¿Qué estarás haciendo?
¿Dónde vivirás? ¿Dónde estarás viviendo?
¿Qué tipo de empleo tendrás?
¿Qué curso estarás siguiendo?

4 A nivel mundial

Lee. Busca y explica lo que hacen.

Organización de las Naciones Unidas
sede a Nueva York – 158 países

CRUZ ROJA
1863 suizo
Henri Dunant

UNESCO
educación universal

Raleigh INTERNACIONAL
jóvenes de todos partes del mundo

MEDECINS SANS FRONTIERES
francés

Amnistía Internacional
1961 inglés

GREENPEACE
medio ambiente

5 Jóvenes intrépidos

a Un periodista local viene a hacerle una entrevista a Sara. Aquí tienes su lista de preguntas. Léelas.

1 *¿Adónde irás?*

2 *¿Cuándo saldrás?*

3 *¿Cómo viajarás?*

4 *¿Cuánto tiempo estarás allí?*

5 *¿Qué harás?*

6 *¿Qué clase de alojamiento tendrás?*

7 *¿Cuántas horas por semana trabajarás?*

8 *¿Necesitarás hablar otro idioma?*

9 *¿Estás nerviosa?*

10 *Y tus padres, ¿qué opinan?*

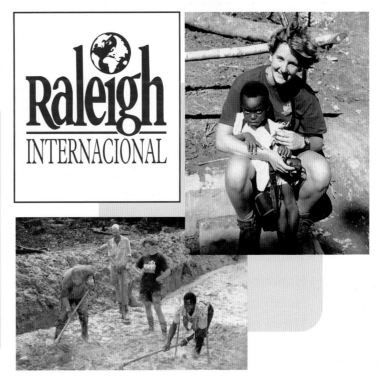

Raleigh INTERNACIONAL

b ∩ Escucha y anota las respuestas.

Ejemplo: 1 = Uganda – África del este

c ∩ Dos del grupo han regresado ya. Escucha y anota las preguntas.

d ∩ Escucha otra vez y anota las respuestas.

e Escoge a una de las tres personas y escribe un artículo para tu periódico local o del colegio.

6 A ti te toca

En grupos discute tus ideas sobre el servicio voluntario y las ventajas/desventajas de pasar un año en el extranjero.

estar fuera/lejos de tu país y familia

tener que hablar/comprender un idioma extranjero

no tener todas las comodidades acostumbradas

no conocer a nadie (al principio)

El porvenir

1 A golpe de microchip

a Escucha a los jóvenes hablando del futuro. Empareja las frases con los dibujos.

1 Coches que corren con energía solar/electricidad

2 Ordenadores que hacen de todo

3 Robots que ayudan en casa

4 Pastillas en vez de comida

5 Vídeoteléfonos portátiles

6 Teleputer

7 Libros parlantes

8 Cámaras de circuito cerrado

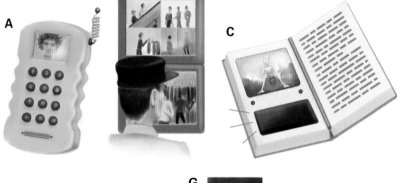

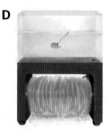

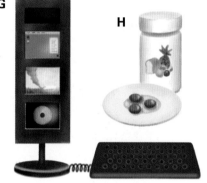

b Escucha otra vez y clasifica sus ideas.

- Habrá/no habrá
- Habrá más de ...
- Habrá menos de ...

c ¿Tú, qué opinas? En grupos discutid si habrá ...

guerras/sequías/huracanes/terremotos
gente vieja/gorda/flaca
colas en el supermercado
enfermedades como el SIDA

Inventa más ejemplos.

d Escribe. ¿Cómo serán los colegios y las universidades? ¿Cómo aprenderás?

Estudiaremos	con enciclopedias multimedia
	a golpe de microchip
	en casa o en un centro de recursos
	con profesores humanos o con ordenador y robot

Creo que será útil/inutil/buena idea/mala idea/conveniente/inconveniente porque será ...

Habrá que/tendremos que/habrá demasiado .../insuficiente ...

2 En el año 2100

Imagina que un desastre ha pasado al país y sólo quedan pocos adolescentes en cada ciudad. Tenéis que formar una nueva vida sociedad.

En grupos discutid y decidid cuáles leyes vais a tener para vuestra ciudad.
Luego presentad vuestras ideas a la clase.
Hay que convencerles a los otros de que vuestras ideas valen.
Finalmente hay que escoger las diez mejores leyes de la clase.

3 En el futuro ...

a Contesta a las preguntas.

1 ¿Qué ropa llevarás/llevaremos?

2 ¿Qué tipo de coche tendrás/ tendremos?

3 ¿Cómo será? Escribe una descripción breve.

4 ¿Qué clase de comida habrá?

5 ¿Habrá bebidas nuevas? ¿Cómo serán?

6 ¿Cómo será tu casa?

7 ¿Qué deportes practicaremos?

8 ¿Habrá unos pasatiempos nuevos?

9 ¿Qué tipo de programas verás en la tele?

10 ¿Cómo será la situación con el medio ambiente?

b Inventa una casa futurística/una comida/unos pasatiempos/un colegio del futuro.

Describe tu invención a la clase. Graba tus ideas en un casete.

1 Gustos pasajeros

a 🎧 Escucha. ¿Qué moda se describe? ¿A qué época pertenece?

hongo

pantalón de pata elefante

collares

pantalón estrecho

traje de rayas

traje charlestón

imperdible   cremallera   plumas de avestruz

b Empareja las prendas con la moda y escribe una frase.

Ejemplo: El punk solía llevar un imperdible y ...

c 👥 Escoge una moda y descríbela a tu compañero/a.

En los años sesenta ...

solían llevar

tenían la costumbre de llevar

llevaban

tenían

estaban

eran

2 Hoy en día

a 🎧 Escucha a Alejandro, Elena, Guillermo y Pilar. Apunta sus opiniones sobre la moda.

Me siento igual a los otros.

Me gusta expresarme.

No me gusta ser diferente.

Prefiero ser original.   Parece un uniforme.

Lo clásico nunca pasa de moda.

Es más fácil seguir a los demás.

Sentirme bien y cómodo es lo más importante.

Cultivo mi propio estilo.

No sigo a los demás.

No gasto mucho.   Ahorro para comprar.

b 👥 ¿Cuál es tu opinión? Discútela con tu compañero/a.

c ¿Y mañana qué? ¿Cómo será la moda? ¿Qué se estará llevando?

3 Sondeo

¿Quién sigue la moda? ¿Quién no? ¿Cuánto gastan?
En un grupo haz un resumen del sondeo y preséntalo a tu clase (oralmente, grabado en casete o por ordenador o póster).

la mayoría/la minoría

por medio

por ciento

4 El poder de la publicidad

a 🎧 Escucha y lee. ¿Cómo reaccionas? Apunta tus respuestas.

❶ Acabas de oír por radio que hoy es el último día de rebajas.

a Vas en seguida a ver si encuentras una ganga.

b Ya lo sabías y habías planeado ir de compras.

c No haces caso.

❷ Acabas de ver una propaganda llamativa.

a Hablas de ella.

b Apuntas el producto para no olvidarlo.

c No comentas nada.

❸ Después de leer un reportaje sobre un producto ...

a tratas de comprarlo.

b recuerdas todos los detalles.

c lo comparas con otros productos.

❹ Después de oír una propaganda ...

a la repites varias veces.

b te quedas con el son sonete en la cabeza.

c la olvidas enseguida.

❺ Al observar un anuncio de promoción en un almacén

a sigues con tus compras.

b vas derecho a esta planta para verla.

c anotas la planta para luego ir allí.

❻ Al conducir por la ciudad ...

a observas y anotas las propagandas.

b no observas mucho.

c ves las propagandas pero no haces caso de ellas.

❼ Antes de salir para el supermercado ...

a recoges todas las ofertas para comprar estos productos.

b haces tu lista y compras solamente lo que has escrito.

c no piensas mucho: compras lo que te llama la atención.

❽ Antes de comprar ropa nueva ...

a miras una revista para averiguar la última moda.

b te impones un límite de dinero.

c piensas en combinarla con lo que ya tienes en tu armario

b 👥 A turnos con tu compañero/a compara y discute tus respuestas.

Ejemplo:

> ¿Tú qué pusiste/escogiste/decidiste para el número uno?

> Yo puse/escogí/decidí que ... ¿Y tú?

c Autorretrato.

¿Te dejas influir mucho/bastante/poco por la propaganda?
¿Cómo te describirías a ti mismo? ¿Eres una persona ...

• que se deja influir?

• controlada?   • segura de sí misma?

5 Propagandas

¿Cuál escogerías? ¿Por qué? ¿Qué hay que considerar?

• precio   • calidad
• aparencia   • ¿qué más?

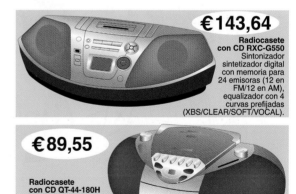

€143,64
Radiocasete con CD RXC-G550 Sintonizador sintetizador digital con memoria para 24 emisoras (12 en FM/12 en AM), equalizador con 4 curvas prefijadas (XBS/CLEAR/SOFT/VOCAL).

€89,55
Radiocasete con CD QT-44-180H Sintonizador AM/FM, CD-pause, casete mecánico.

Para mí	(no) es importante	lo que piensan mis amigos
		lo que dicen los demás

En torno nuestro

1 Edades y leyes

a Lee y clasifica.

- a los catorce años
- a los dieciséis años
- a los dieciocho años

En tu país, ¿a qué edad se les permite ...

- dejar el colegio?
- casarse si los padres están de acuerdo?
- trabajar ciertas horas?
- tener relaciones sexuales?
- vivir solos?
- beber alcohol en un lugar público?
- fumar?
- votar?

- quedarse solos/as en casa?
- sacar el permiso de conducir un coche?
- conducir una moto?
- escoger con quién prefieren vivir si los padres están divorciados?

b Mira los dibujos y empareja las leyes con los dibujos.

c 🎧 Escucha. ¿Qué opinan? Rellena la tabla.

Número	Ley/aspecto	▼ De acuerdo/desacuerdo	▲ Opinión/detalle

d 👥 ¿Y tú qué opinas? Discute y compara tus opiniones con tu compañero/a.

¿Hay algunas leyes más que tú crees que se deben imponer?

> Es una tontería
>
> Es buena idea
>
> Es ridículo
>
> No es justo/es injusto
>
> Es demasiado joven

2 Tabaco

a 🎧 Escucha. ¿Están en contra o a favor?

b Lee y clasifica las opiniones: positivas o negativas.

Es un veneno.
Me disgusta.
Me da confianza.
Todos en mi clase lo hacen.
Me parece en la onda.
Mis padres fuman.
Es malo para la salud.
Me gusta. Me relaja.
Te hace sentir más adulto.
Es un malgasto.
Te da mal aliento.
Los dientes se hacen amarillos.
Es fácil empezar, es más difícil parar.
Huele a feo.
Hay riesgo de cáncer.
Se burlan de mí si no fumo.

c 👥 Escoge dos o tres frases para expresar tu punto de vista. Compáralas con las de tu compañero/a.

Fumo porque .../No fumo porque ...

3 Adiós a las drogas en las aulas

a Lee el artículo y contesta a las preguntas.

1 ¿De qué problema se trata?
2 ¿Cuál es la mejor solución que se propone?
3 ¿Quién recibe el incentivo?
4 ¿En qué consiste el incentivo?
5 ¿Qué les pasa a los que no superan el test?

b Explica en tus propias palabras en inglés:

1 los países occidentales
2 que consumen estupefacientes
3 que se demuestran estar 'limpios'
4 no son denunciados
5 para desengancharse

¿Es mejor premiar al que dice 'no' que castigar al que ya ha caído?

El problema de la presencia de drogas en los colegios es especialmente grave en los países occidentales. En Estados Unidos, por ejemplo, el número de estudiantes de secundaria que consumen estupefacientes aumenta cada año. La solución más eficaz es, sin duda, una mejor coordinación entre profesores y padres en las tareas educativas. Pero ¿por qué no buscar un método más drástico? En Dallas existe el programa Juventud Libre de Drogas en el cual se hacen tests voluntarios de detección de drogas. Los que se demuestran estar 'limpios' reciben un incentivo en forma de bonos de compra o de entradas gratis para ciertos espectáculos. A nadie se le obliga a pasar la prueba. Los que no superan el test no son denunciados; les asesoran discretamente sobre las mejores vías para desengancharse.

Plan para profesores que enseñan a decir 'no'
Más de 1.600 docentes asisten a cursos sobre prevención de la drogadicción.
'La educación es el mejor instrumento con el que contamos para prevenir el consumo de drogas.'

c Discusión: ¿Estás de acuerdo o en contra de estas ideas?

d 🎧 Escucha el sainete: 'Enséñales a decir no'. En grupos prepara una escena sobre una de las adicciones. Preséntala a la clase.

Cuenta con nosotros

1 Niños explotados

a Lee el texto.

¡Niños explotados!

Unos trabajan porque les gusta. Otros trabajan porque quieren ganar para su bolsillo. La mayoría – la gran mayoría – trabajan porque no tienen más remedio: es para sobrevivir.

Muchos niños no tienen juventud – se les acaba el momento en que pueden ganar su vida, sea como sea. Emilio recoge flores en el mercado y va a la calle a venderlas. Andrés pasa todo el día limpiando zapatos y da los centavos que gana a su padre. Es el único jornal para una familia entera. Lucía y Carmela van de casa en casa recogiendo botellas vacías o cartón usado para luego venderlos. Carlitos pasa su día en las calles limpiando parabrisas de los coches parados a los semáforos.

b Indica si las frases son verdaderas (V) o falsas (F). Corrige las falsas.

1 Emilio recoge botellas.
2 Andrés da el dinero que gana a su hermano.
3 Lucía y Carmela venden lo que recogen.
4 Carlitos trabaja en el supermercado.

c ▲ Contesta a las preguntas.

1 ¿Por qué está disgustado el escritor de Sevilla?
2 ¿Qué debe hacer el gobierno según la escritora de Gijón?
3 ¿Por qué se siente triste el escritor de Zaragoza?
4 ¿Cuál es la opinión de la escritora de Toledo?

d ¿Tú qué opinas? Escribe una carta al periódico. Sigue los ejemplos de abajo.

¿Qué opinas?

Vuestras cartas

¡No puedo imaginar una vida así! A veces me quejo de que no tengo suficiente dinero pero cuando leo un artículo así todo cae en perspectiva.
Disgustado de Sevilla

Me parece insoportable que el gobierno no puede prohibir este tipo de explotación. Siempre dicen que no hay remedio pero yo creo que todos debemos poner de nuestra parte y poner fin a esto.
Indignada de Gijón

Pobres niños. Me siento tan infeliz cuando leo estas cosas. ¿Qué puedo hacer para ayudar? Me siento impotente.
Triste de Zaragoza

Es inhumano que un niño tenga que vivir así. ¿Qué derecho tiene un padre a explotar a su hijo de esta manera?
Colérica de Toledo

2 Según Unicef ...

Lee y discute: ¿es sueño o realidad?

Cada niño tiene el derecho a:
    una nacionalidad
    un nombre
    una educación gratuita
    la protección contra la violencia y la
        explotación sexual
    un nivel de vida adecuado
    jugar libremente
    la protección contra las drogas
    la libre expresión de sus opiniones

3 ⌒ Nos encanta tener dos culturas

Escucha y anota.

Nacionalidad	Origen	Países donde ha vivido	Idiomas

4 Contra el racismo

a Lee el artículo.

Barcelona se moviliza con una fiesta contra el racismo

Más de 4.000 personas participaron en una 'pitada contra el racismo'. La jornada tenía como objetivo sensibilizar a la población catalana sobre los peligros que comportan actitudes racistas y de intolerancia en general. Con pitos – caramelos previamente repartidos –

miles de personas aprovecharon la jornada festiva 'Todos somos niños, todos somos iguales' hasta los barcos en el puerto y las campanas de la basílica de Nuestra Señora de la Mercé. El plato fuerte era una ludoteca infantil que congregó a centenares de niños de todas las razas.

b 👥 ¿Conoces otras ocasiones como ésta? Descríbelas a tu compañero/a.

c En tu colegio debe haber una declaración de igualdad de oportunidades para todos. Léela y escribe un e-mail a una persona española para explicársela.

5 Cuba – proyecto para ayudar a estudiantes cubanos

a ⌒ Escucha a los estudiantes hablando de lo que hicieron.

b ⌒ Escucha otra vez y lee las notas.

· unos 40 estudiantes
· durante todo el semestre
· recogieron libros y cuadernos
· escribieron cartas
· mandaron paquetes

¡SOLIDARIDAD!

Tú puedes ayudar a los niños en

CUBA

RECOGE LIBROS

c Completa las frases con un verbo adecuado.

Fue una idea nuestra porque 1 _____ en el periódico acerca de una crisis en los colegios cubanos por falta de textos, libros y las demás cosas para estudiar. Entonces en la clase de cívica 2 _____ a la profe si 3 _____ organizar un proyecto para ayudarles. 4 _____ a hablar y poco a poco más gente 5 _____ participar hasta que unos cuarenta estudiantes de nuestro curso 6 _____. Hicimos pósters que 7 _____ en el boletín del colegio y 8 _____ varios eventos para recoger dinero.

quería   habíamos leído   empezamos
se entusiasmaron   preguntamos   organizamos
podíamos   pusimos

d 👥 Con tu compañero/a prepara una entrevista con uno de los estudiantes españoles.

The imperative

The imperative is used for giving commands or instructions.

Positive commands

To form a positive command in regular verbs – to tell someone to **do** something:

- Take the infinitive: habl**ar**   com**er**   escrib**ir**
- Remove the ending: habl   com   escrib
- Add:

tú	vosotros
habl**a**	habl**ad**
com**e**	com**ed**
escrib**e**	escrib**id**

What pattern can you see in the way these verbs change?

usted	ustedes
habl**e**	habl**en**
com**a**	com**an**
escrib**a**	escrib**an**

Here are some irregular commands in the *tú* form. Write out what they mean in English.

decir ➡ di

hacer ➡ haz

oír ➡ oye

poner ➡ pon

salir ➡ sal

tener ➡ ten

venir ➡ ven

ver ➡ ve

Make up a verse to help you to remember them.

Note:
In the *vosotros* form, reflexive verbs drop the *d* before adding the pronoun:

levantad ➡ levantaos

sentad ➡ sentaos

1 a 🎧 Listen and match the two parts of the instruction.
Example: toca + los pies

> ponte   haz   habla   come   bebe
> escuchad   subid

> más claro   tu manzana   enseguida
> tu zumo   la radio   tu abrigo   tus deberes

b 👥 Give some instructions to your partner, using the verbs below.

> describir   leer   escribir   contar
> contestar

Negative commands

To form a negative command in regular verbs – to tell someone **not to do** something:

- Take the infinitive: habl**ar**   com**er**   escrib**ir**
- Remove the ending: habl   com   escrib
- Add:

	tú	vosotros	usted	ustedes
no	habl**es**	habl**éis**	habl**e**	habl**en**
	com**as**	com**áis**	com**a**	com**an**
	escrib**as**	escrib**áis**	escrib**a**	escrib**an**

2 🎧 Now listen and complete the instructions:

- No _____ esto.
- No _____ conmigo.
- No _____ aquí.

3 Change these positive instructions to negative ones.

Example: Habla despacio. – No hables tan rápido.

> Ve todo recto.   Corre por la calle.   Venid a mi casa.
> Escribe una frase entera.   Levántate ahora mismo.
> Callaos inmediatamente.   Contesta en seguida.
> Vete de aquí.   Pensad un poco.

Look at the way the verbs change in the negative. This is in fact the present tense of the **subjunctive** mood.

The subjunctive

This is used quite frequently in Spanish. You will mainly need it:

- in polite and negative commands

- after *cuando* when talking about the future:

  Cuando termine mis estudios voy a viajar por el mundo entero.

- when the person in the main clause (the main part of the sentence) expresses a wish, want, doubt or an emotion such as fear or joy and this influences what happens in the subordinate clause (the secondary part of the sentence):

  Tengo miedo de que no estén en casa.

- when forbidding something, giving permission, orders or advice, or making requests:

  Quiero que me acompañes.

To form the present subjunctive, you take the first person form (*yo*) of the present tense, drop the last letter *-o* and then add these endings:

-ar	-er	-ir
hable	coma	escriba
hables	comas	escribas
hable	coma	escriba
hablemos	comamos	escribamos
habléis	comáis	escribáis
hablen	coman	escriban

Verbs with an irregular first person follow the same rule:

salir – salgo ➡ salga, …

hacer – hago ➡ haga, …

Radical-changing verbs follow their same pattern of change in the 1st, 2nd, 3rd and 6th forms. See page 184 for common irregular verbs.

4 👥 Copy the sentences, adding the correct form of the present subjunctive. Explain to your partner why it is used.

1 Cuando (tener)_____ 50 años quién sabe cómo seré.

2 Cuando (terminar) _____ la película podremos salir.

3 Cuando (ser) _____ mayor voy a viajar mucho.

4 Quiero que (limpiar) _____ tu habitación.

5 Queremos que nuestra hija (aprender) _____ a hablar español.

6 Mi amigo quiere que lo (hacer) _____ yo porque él no sabe cómo se hace.

How to cope in the final exam

Refer to your checklist cards which you have made following the advice given.

Listening

- Do you have any time to read through the questions before the tape starts?
  How long? How can you best use this time?
- Identify key words and think about context and possible answers within the context.
- Remember your favourite abbreviations.
- Are there any pictures or drawings to help you?
- Should you answer in **English** or **Spanish**?
- Does the question ask 'At what time?'. In this case you should give a full answer: *A las dos en punto.*/*A eso de las dos.*
- Always try to make an informed guess – don't leave a blank.

Speaking
Preparation time

- Make clear notes.
- Say the words and phrases aloud.
- Decide whether you should use *tú/vosotros or usted/ustedes*.
- Can you include a past or future tense in your conversation?

During the exam

- If you do not understand a picture or role-play icon, ask what it means:

  ¿Qué significa esto?

- Remember key prompts:

  Repite/Repita, por favor.

  No comprendo/No entiendo.

  ¿Qué quiere decir X?

- Don't be afraid to correct a mistake if you can do so quickly and naturally, but don't get sidetracked and lose the thread.

  Quiero un kilo de tomates ... ¡ay perdón, manzanas!

  Mi mamá es bastante gordo, mmmm gorda.

- If you need a moment to pause try using:

  Pues ...   Me parece que ...   No sé, pero ...

- Answer as fully as you can.

  Creo que me llevo bien con X porque me parece que es ...

Reading

Use the skills you have learned in your listening work:

- Read the whole text or sentence through to the end.
- Identify in your mind the words you already know.
- Look for other words that look like English words (1) – but beware of false friends.
- Look for words that have a Spanish word you know in them (2).
- Study the words that go either side of the words you know (?). Are they adjectives, verbs, linking words ...? Identify what work they do in the sentence.

1 Now read this text and identify the words.

Bruguera fue superado claramente en la final masculina. Las ilusiones del tenista catalán, que afrontaba como claro favorito la final masculina, desparecieron ante el juego de un sorprendente Gustavo Kuerten, que en el partido decisivo mantuvo la inspiración mostrada durante el torneo, todo lo contrario que Bruguera.

Writing

Preparation

- Timing – two minutes to jot down some ideas and notes in rough
- Content – check out details and underline questions or key words

Doing the task

- Timing – work steadily through your draft
- Content – cover all aspects required and check that it's balanced
- Past, present and future tenses?
- Key words and adjectives
- Sequencing phrases
- Opinions and reasons

Final check

Read it through and apply the TAPAS rule or one you have invented – try GATO: grammar, agreements, tenses, organization.

2 Revise all the tips for writing and answer the card in about 75 words.

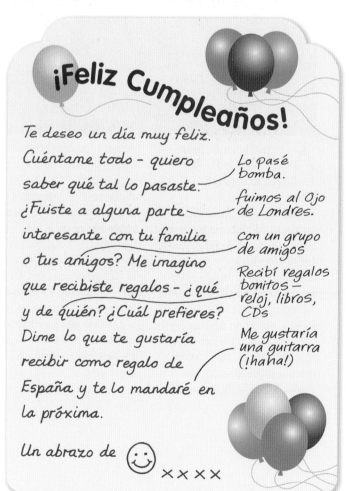

¡Feliz Cumpleaños!

Te deseo un día muy feliz. Cuéntame todo - quiero saber qué tal lo pasaste. ¿Fuiste a alguna parte interesante con tu familia o tus amigos? Me imagino que recibiste regalos - ¿qué y de quién? ¿Cuál prefieres? Dime lo que te gustaría recibir como regalo de España y te lo mandaré en la próxima.

Un abrazo de ☺ × × × ×

Lo pasé bomba.

fuimos al Ojo de Londres.

con un grupo de amigos

Recibí regalos bonitos - reloj, libros, CDs

Me gustaría una guitarra (¡haha!)

1 🎧 Escucha. Empareja la persona con su preocupación.

Persona	Preocupación
1	padres

racismo paro **SIDA** medio ambiente animales en peligro maltratos drogas tabaco resultados exámenes padres relaciones

2

a Lee el artículo.

Juventud en paro = juventud callejera. ¡Qué desperdicio!

Ayer por la tarde, muy tarde, decidí dar una vuelta por el centro de la ciudad – a ver lo que encontraba. Al poco rato encontré a Pablo, un joven de unos quince años. Su madre le había echado de casa. Allí estaba medio dormido en el portal de un almacén sin saber adónde dirigirse ni a quién acudir. Me senté a su lado y comenzamos a hablar. La suya es una historia que he oído antes – muchas veces. Su madre le había dicho que al cumplir los dieciséis años tenía que ganarse la vida. No podía seguir en el colegio. Eso no lo encontró fácil y después de un rato discutieron y se pelearon y Pablo se fue de la casa – sin diplomas, sin dinero, sin comida, sin nada. '¿Qué hay en la vida para una persona como yo? ¿Quién me va a ayudar? ¿A quién le importa un bledo si existo o no? Soy una estadística nada más – uno de los tantos jóvenes parados sin esperanza.'

b Completa las frases.

1 El reportero fue al ...
2 Encontró a un joven que ...
3 Ya no vivía ...
4 El reportero empezó ...
5 La historia de Pablo es ...
6 Su madre no le dejó ...
7 Por consecuencia los dos ...
8 Pablo decidió ...

a hablar con Pablo
se llamaba Pablo
marcharse de casa
tuvieron una discusión
centro de la ciudad
un cuento ya conocido
continuar con sus estudios
en su casa

c 👥 Prepara una entrevista con Pablo. Trabaja con tu compañero/a. Graba tu entrevista.

d Escribe lo que le pasó ayer a Pablo.

▼ Escribe unas seis frases – tres sobre la mañana y tres sobre la tarde (75 palabras).

▲ Cuenta su día entero (110 palabras).

3 ∩ Escucha. Anota cuál publicidad trate de:

- comida
- ropa
- pasatiempos
- vacaciones
- cosméticos

4

a Lee el artículo.

¡El 'street' será el nuevo deporte rey!

El baloncesto es un deporte muy de moda pero hay que buscar un equipo y ser de una altura de 1m 80 o más.
El parapente es otro deporte de moda o el snowboarding, pero cuesta bastante dinero sólo empezar.
Pero ha llegado la hora de la revuelta callejera y los rollers han tomado el asfalto con sus patines. Ha nacido la moda del 'street', es decir del patinaje en la calle. Consiste en hacer figuras o piruetas aprovechando los bancos, barandillas, latas usadas o cualquier otro objeto que uno puede encontrar en la ciudad.

Actualmente hay unos circuitos preparados. Tú pones las normas del juego. 'Los radikales' a veces se agarran de los autobuses y coches para coger velocidad, pero está prohibido y la multa es de 60 euros. Aunque llegó la fiebre en los 90 sigue de moda y hasta hay uniforme. Además de los guantes, rodilleras y casco protectores, llevan pantalones anchos con tiro largo y caídos por debajo de la cintura, 'piercings' y colgantes de cuero; escuchan grunge y hardcore y se tratan entre ellos como hermanos.

Esta es su jerga:
roller = patinador
roll fitness = estar en forma
gusanos = en línea agarrados por la cintura
hacer ruta = recorrer la ciudad de noche
half pipe = rampa en forma de U
Mactwist = salto mortal hacia atrás en giro de 360 grados

b Contesta a las preguntas.

1 ¿Qué desventajas tiene el baloncesto?

2 ¿Por qué se llama este deporte el 'street'?

3 ¿Cuál aspecto del 'street' va contra la ley?

4 ¿Qué tipo de ropa prefieren las personas que lo practican?

5 ¿Qué tipo de música les gusta?

c ¿Qué deporte estaba de moda en los años 50, 60, 70 o 80?
Escribe un reportaje sobre uno que te llama la atención.

Grammar reference

1 Nouns

A noun is a word used to name people, animals, places, objects and ideas.
Nouns in Spanish are either masculine or feminine. Many which end in **-o** are masculine and many which end in **-a** are feminine.

masc.		fem.	
el libro	*book*	la regla	*ruler*

Exceptions:
el mapa, el día, el clima, la mano, la radio

To make a noun plural:

- Add an **-s** if the noun ends in a vowel: libro ➡ libro**s**, regla ➡ regla**s**

- Add **-es** if the noun ends in a consonant: hotel ➡ hotel**es**, profesor ➡ profesor**es**

Some words add or lose an accent in the plural: joven ➡ j**ó**venes, jardín ➡ jard**i**nes
Some change their spelling from **z** to **c** and add **-es**: lapiz ➡ lápi**ces**

2 Articles

The definite article (the) changes according to whether the noun is masculine, feminine or plural.

	singular	plural
masc.	**el** libro	**los** libros
fem.	**la** regla	**las** reglas

A word which begins with a stressed **a** or **ha** takes **el/un** but if it is feminine, it needs a feminine adjective: El agua está frí**a**. Tengo much**a** hambre.

The indefinite article (a/an) follows a similar pattern.

	singular	plural
masc.	**un** libro	**unos** libros
fem.	**una** regla	**unas** reglas

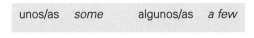

unos/as	*some*	algunos/as	*a few*

You do not need the article when

- you refer to someone's profession: Soy profesora. Quiere ser astronauta.

- you say you haven't got something: No tengo hermanos. No tenemos dinero.

You need the definite article when speaking *about* someone but not when speaking *to* them: **El** señor Ruíz no está. 'Buenos días, señor Ruíz.'

The definite article is used with parts of the body, with languages (but not after *hablar, estudiar* or *saber*), with mountains, seas and rivers and certain countries and towns: la India, el Cuzco.

3 Adjectives

Adjectives describe nouns and agree with the masculine, feminine or plural form of the noun.
They generally follow the noun.

	singular	plural
masc.	**un** libro nuev**o**	**unos** libros nuev**os**
fem.	**una** regla nuev**a**	**unas** reglas nuev**as**

Many adjectives end in **-o** (masculine) and **-a** (feminine). To make an adjective plural follow the same rule as for nouns – add an **-s** to a vowel and **-es** to a consonant.

fácil ➡ fáciles   interesante ➡ interesantes   popular ➡ populares
trabajador/a ➡ trabajadores/as

> Some adjectives are positioned before the noun and lose the **-o** before a masculine noun:
>
> buen   mal   primer   tercer   ningún   algún
>
> **Grande** becomes **gran** before both masculine and feminine nouns.

Sometimes the position before or after the noun affects the meaning of the word:
un pobre niño *an unfortunate child*   un niño pobre *a poor (penniless) child*

Lo + adjective can be used to talk about a general idea:
Lo bueno/Lo malo es que … *The good/bad thing is that …*

4 Possessive adjectives

These agree with the noun they describe.

singular		plural		
masc.	*fem.*	*masc.*	*fem.*	
mi	mi	mis	mis	*my*
tu	tu	tus	tus	*your*
su	su	sus	sus	*his/her/your* (formal)
nuestro	nuestra	nuestros	nuestras	*our*
vuestro	vuestra	vuestros	vuestras	*your*
su	su	sus	sus	*their/your* (formal plural)

mi hermano, mi hermana, mis hermanos, mis hermanas

tu libro, su regla, tus libros, sus reglas

nuestro perro, vuestra cabra, nuestros perros, vuestras cabras

Possessive adjectives tend not to be used with parts of the body and clothes:

Me duele **la** garganta. Se quitó **el** abrigo.

5 Demonstrative adjectives

These agree with the noun they are pointing out or indicating, and are equivalent to English 'this', 'that', 'these' or 'those'.

singular		plural		
masc.	*fem.*	*masc.*	*fem.*	
este	esta	estos	estas	*this/these* (nearby)
ese	esa	esos	esas	*that/those* (near to the person spoken to)
aquel	aquella	aquellos	aquellas	*that/those* (further away)

Esto and **eso** refer to general ideas or unknown things: ¿Qué es esto? ¡Eso es! ¿Eso es todo?

6 Comparatives

These are used to compare one thing or person with another.

más ... que: El Brasil es **más** grande **que** Colombia.   *Brazil is bigger than Colombia.*

menos ... que: Hay **menos** gente en el Amazonas **que** en Bogotá.   *There are fewer people in Amazonia than in Bogotá.*

bueno *good* ➡ mejor(es)	Este vino es mejor que ése que estás bebiendo tú.
malo *bad* ➡ peor(es)	Tal vez, y es peor que aquél que están comprando ellos.

When **más** or **menos** is used with a number to mean 'more or less than', **de** is used instead of **que**:
más de un millón de muertos

Menor and **mayor**, meaning older and younger, can also be used to mean 'bigger' and 'smaller'.

Some other ways of comparing:

cada vez más   cada día más   cuánto más ... más   mismo ... que   tan .... como   tanto ... como

7 Superlatives

These compare one thing or person with several others.
el más   la más   los más   las más (mejor/mejores, peor/peores)

Este libro es el más interesante que he leído en años.   *This is the most interesting book I've read in years.*

If the superlative adjective follows the noun immediately, you leave out the **el/la/los/las**:
Es el río más largo del mundo. (Note that **de** translates in after a superlative.)

Lo mejor sería irnos en seguida.   *The best thing would be for us to go immediately.*
Lo peor sería no decir la verdad.   *The worst thing would be not to tell the truth.*

-ísimo, -ísima, -ísimos, -ísimas These endings can be added to adjectives to add emphasis:

Tengo muchísimas ganas de verte.   *I really want to see you.*
La comida fue rica – pero riquísima.   *The food was delicious, absolutely delicious.*

8 Adverbs

Adverbs are used to describe the verb. They do not agree with the verb and therefore do not change.

Generally you add **-mente** to the adjective: fácil ➡ facilmente (*easily*), posible ➡ posiblemente (*possibly*)

or to the feminine form of the adjective: lenta ➡ lentamente (*slowly*), rápido ➡ rápidamente (*quickly*).

When two adverbs come together in a sentence you drop the first **-mente**:
Estaban hablando lenta y cuidadosamente.   *They were talking slowly and carefully.*
Some adverbs do not end in **-mente**:

siempre   nunca   muy   mucho   poco   bien   mal
rara vez   muchas veces   a menudo   algunas veces   a veces

Bastante and **demasiado** can be both adjectives and adverbs.

9 Negatives

When you want to make a negative statement, you simply put **no** in front of the verb.

No quiero. **No** me gusta.

The most common negatives you will need are:

ninguno (ningún)/ninguna *no*   nunca/jamás *never*
nada *nothing*   ni … ni … *neither … nor*
nadie *nobody*   tampoco (negative of también) *neither*

When a negative word starts the sentence, you do not need to put **no** in front of the verb as well.

10 Interrogatives

To ask a question you need to add question marks at the beginning and the end of the sentence:

Tienes hermanos. *You have brothers and sisters.* ¿Tienes hermanos? *Do you have any brothers and sisters?*

Some common question words:

¿Qué?   ¿Por qué?   ¿Cuándo?   ¿Cómo?   ¿Dónde?   ¿De dónde?
¿Adónde?   ¿Quién/Quiénes?   ¿Cuál/Cuáles?   ¿Cuánto/Cuánta?   ¿Cuántos/as?

Note that they all take accents.

11 'Y' and 'o'

Y is always used to mean 'and', except when it is followed by **i-** or **hi-** in which case it changes to **e**:
Paco **e** Isabel geografía **e** historia
O is used to mean 'or', except when it is followed by **o-** or **ho-**, in which case it changes to **u**:
siete **u** ocho hostales **u** hoteles

12 Personal 'a'

This does not translate into English but is used in Spanish to distinguish people from objects. It is only used when you are refering to a specific person:
Busco **a** mi hermanito.   but   Busco un hombre que me repare el ordenador.

It is not used with the verb **tener**:   Tengo un hermano y una hermana.

It can be used with objects or animals if you want to express strong feelings:
Quiero **a** mi país enormemente. Adoro **a** mi gatita.

Pronouns

Pronouns are words used to avoid repeating the noun.

13 Subject pronouns

The subject pronoun is not often needed in Spanish as the verb ending generally indicates the subject of the verb. You usually use it for emphasis or to avoid ambiguity. When you need to refer to a group of people with one or more males in it you must use the masculine form.

yo *I*	nosotros/as *we*
tú *you*	vosotros/as *you* (familiar plural)
él/ella/usted *he/she/you* (formal)	ellos/ellas/ustedes *they/you* (formal plural)

14 Reflexive pronouns

The reflexive pronoun is seldom translated into English, but is a part of reflexive verbs such as **levantarse**, **sentirse** and **llamarse**, which involve doing something 'to yourself'.

me	nos
te	os
se	se

15 Tú and usted, vosostros/as and ustedes

There are four ways of saying 'you' in Spanish:

	familiar	formal
singular	tú	usted (Often written vd, it takes the 'he/she' part of the verb.)
plural	vosotros/as	ustedes (Often written vds, it takes the 'they' part of the verb.)

Tú and **vosotros/as** are used with people you know well and with young people. **Usted** and **ustedes** are used with strangers and people you do not know very well or to whom you want to show respect. They are used much more often in Latin America than in Spain where the **tú** and **vosotros/as** form of address is widely encouraged.

16 Direct object pronouns

me	me
te	you
le, la, lo	him/you (formal), her, it
nos	us
os	you (familiar plural)
les, las, los	them/you (formal plural)

17 Indirect object pronouns

me	to me
te	to you
le	to him/her/you (formal)/it
nos	to us
os	to you (familiar plural)
les	to them/you (formal plural)

Two important verbs which need an indirect object pronoun (see page 181 for details) are **gustar** and **doler**.

Direct object and reflexive pronouns usually come

- immediately before the verb: No la veo. *I can't see her.* Sí, la quiero. *Yes, I love her.* Se llama Lucía. Literally: *She calls herself Lucía.*
- after the infinitive: Voy a verla mañana. *I am going to see her tomorrow.* Tengo que levantarme temprano. *I have to get up early.*
- after the present participle/continuous: Estoy mirándolo ahora. *I'm looking at it now.* Está bañándose. *He's taking a bath.*

  It is also common usage to put them before the verb: Lo estoy mirando ahora.

Direct object, indirect object and reflexive pronouns are added on to the end of a positive command:

Ponlo aquí. Dame tu libro. Levantaos en seguida.

Póngalo aquí. Deme su libro. Levántense en seguida.

When a direct and an indirect object pronoun come together, then the indirect comes first:

Dámelo. *Give it to me.*

When two third-person singular or plural pronouns come together, the indirect one becomes **se**:

Dígaselo. *Say it to him.*

18 Possessive pronouns

These agree with the noun they are replacing.

¿Es tu casa? *Is it your house?*   Sí, es mía. *Yes, it's mine.*

singular		plural		
masc.	fem.	masc.	fem.	
mío	mía	míos	mías	*mine*
tuyo	tuya	tuyos	tuyas	*yours*
suyo	suya	suyos	suyas	*his/hers/its/yours* (formal)
nuestro	nuestra	nuestros	nuestras	*ours*
vuestro	vuestra	vuestros	vuestras	*yours* (familiar plural)
suyo	suya	suyos	suyas	*theirs/yours* (formal plural)

Some useful expressions:
¡Dios mío!
¡Madre mía!
un amigo mío
Muy señor mío

If the possessive pronoun does not follow the verb **ser**, it needs el/la/los/las before it:
Tu casa es más pequeña que **la** mía.

19 Demonstrative pronouns

These take an accent and agree with the noun they are replacing.

singular		plural		
masc.	fem.	masc.	fem.	
éste	ésta	éstos	éstas	*this one/these ones* (near to the speaker)
ése	ésa	ésos	ésas	*that one/those ones* (near to the person being spoken to)
aquél	aquélla	aquéllos	aquéllas	*that one/those ones* (further away from both of them)

Hablando de camisas, ésta es mucho más bonita que ésa. Tal vez, pero prefiero el color de aquélla.

20 Disjunctive pronouns

These are used after a preposition (e.g. para, hacia, cerca de).

mí	*me*
ti	*you*
él/ella/usted	*him/her/you* (formal)
nosotros/as	*us*
vosotros/as	*you* (familiar plural)
ellos/ellas/ustedes	*them/you* (formal plural)

Remember: conmigo contigo consigo

21 Relative pronouns

Que, 'which' or 'that', is always used in Spanish and not left out of the sentence as it often is in English.
El abrigo **que** me gusta cuesta demasiado. *The coat (that) I like costs too much.*

Quien means 'who' or 'whom'.
El chico a **quien** admiro se llama Paco. *The boy (whom) I admire is called Paco.*

22 Prepositions

These usually indicate where a person or object is.

en *in, on, by*

en la mesa   en el cuarto de baño   en coche/avion/tren

Many other prepositions are followed by **de**: delante **de**, cerca **de**.

> Remember:
>
> a + el = al   Vamos al mercado.
> de + el = del   Salen del cine a las siete.

23 'Por' and 'para'

Por is used to mean:

'in exchange for something':
Quiero cambiarla por aquella camisa.   *I want to change it for that shirt.*
Gana 20 euros por hora.   *He earns 20 euros per hour.*

'a period or length of time':
Voy a quedarme por un mes. *I'm going to stay for a month.*

Para is used to indicate who or what something is for.
Este regalo es para mi padre.   *This present is for my father.*
Un sacacorchos sirve para sacar el corcho.   A corkscrew is used to remove corks.

> Some useful expressions:
> por supuesto
> por eso
> por lo visto

24 Cardinal numbers

The number 1 (**uno**) and other numbers ending in **uno** or **cientos** agree with the noun they describe. No other numbers agree.

Doscientos cincuenta gramos de mantequilla, por favor. trescientas libras
Uno changes to **un** before a masculine noun:
un litro de leche   veintiún niños
Ciento changes to **cien** before masculine and feminine nouns and before **mil** and **millones**:
Cien gramos de tocineta, por favor.   cien niñas   cien mil   cien millones

25 Ordinal numbers

primero	*1st*	sexto	*6th*
segundo	*2nd*	séptimo	*7th*
tercero	*3rd*	octavo	*8th*
cuarto	*4th*	noveno	*9th*
quinto	*5th*	décimo	*10th*

From 'eleventh' onwards cardinal numbers are normally used:
Carlos quinto *but* Alfonso doce

> Remember:
> el primer piso
> el tercer hombre

Expressions of time

26 Clock time

To talk about what time it is, you need to use the word **hora**.

¿Qué hora es?   Es la medianoche.   Son las tres y media.
Es la una.   Es la una y cinco/y diez etc.   Son las cinco menos veinte/menos cuarto.
Es el mediodía.   Son las dos/tres/cuatro etc. y cuarto.   a eso de las tres   *at about three o'clock*
                                                 sobre las cinco   *around five*

27 Days of the week

lunes	*Monday*	viernes	*Friday*
martes	*Tuesday*	sábado	*Saturday*
miércoles	*Wednesday*	domingo	*Sunday*
jueves	*Thursday*		

The days of the week are written with a small letter except at the beginning of a sentence.

28 Months and seasons of the year

enero	*January*	julio	*July*	primavera	*spring*
febrero	*February*	agosto	*August*	verano	*summer*
marzo	*March*	se(p)tiembre	*September*	otoño	*autumn*
abril	*April*	octubre	*October*	invierno	*winter*
mayo	*May*	noviembre	*November*		
junio	*June*	diciembre	*December*		

These are not usually written with a capital letter.

29 Dates

el primero de abril *April 1st*   el dos de mayo *May 2nd*   el tres de junio *June 3rd*

30 Other expressions of time

el lunes pasado, la semana pasada	*last Monday, last week*
ayer, anteayer	*yesterday, the day before yesterday*
mañana, pasado mañana	*tomorrow, the day after tomorrow*
el año que viene	*next year*
en Semana Santa/Navidades	*at Easter/Christmas*
por la mañana/tarde/noche	*in the morning/afternoon/evening*
durante las vacaciones	*during the holidays*
después de las clases	*after school*
el otro día	*the other day*
hace una semana	*a week ago*

For actions that started in the past and continue into the present, you can use the following expressions:

¿Desde cuándo vives aquí?   *How long have you lived here?*

Vivo aquí desde hace tres años.
Hace tres años que vivo aquí.   *I've lived here for three years.*
Llevo tres años viviendo aquí.

Verbs

A verb indicates *what* is happening in a sentence and the tense indicates *when*.
The verb ending shows *who* is carrying out the action.

31 The infinitive

The infinitive is the form in which verbs are given in the dictionary and in the vocabulary section (see page 199).

If a verb is regular, you can use the infinitive to tell you which endings to use for each tense and person.

In Spanish, regular verbs fall into three groups shown by the last two letters of the infinitive:

-ar (e.g. comprar)   **-er** (e.g. comer)   **-ir** (e.g. subir)

Each group follows a pattern which you will need to understand (see the verb tables on pages 182–86).

The infinitive is often used after another verb. A list of the most common is given on page 181.

Quiero ver la tele esta noche.   *I want to watch TV tonight.*

Me gustaría ir al cine.   *I would like to go to the cinema.*

You can also make the infinitive do the work of a noun:

El hablar en la biblioteca está prohibido. *No talking in the library.*

Ver es creer. *Seeing is believing.*

32 The present tense

The present tense is used to indicate what is happening now, or happens regularly.

Regular verbs

-ar	-er	-ir
comprar	comer	subir
compr**o**	com**o**	sub**o**
compr**as**	com**es**	sub**es**
compr**a**	com**e**	sub**e**
compr**amos**	com**emos**	sub**imos**
compr**áis**	com**éis**	sub**ís**
compr**an**	com**en**	sub**en**

Radical-changing verbs

These verbs change their stem in the 1st, 2nd and 3rd person singular and in the 3rd person plural:

u ➡ ue   jugar ➡ **jue**go, **jue**gues, **jue**ga, jugamos, jugáis, **jue**gan

o ➡ ue   poder ➡ **pue**do, **pue**des, **pue**de, podemos, podéis, **pue**den

e ➡ ie   preferir ➡ pref**ie**ro, pref**ie**res, pref**ie**re, preferimos, preferís, pref**ie**ren

Irregular verbs

The most common are:

ser   soy eres es somos sois son

estar   estoy estás está estamos estáis están

hacer   hago haces hace hacemos hacéis hacen

ir   voy vas va vamos vais van

tener   tengo tienes tiene tenemos tenéis tienen

Reflexive verbs

me levanto

te levantas

se levanta

nos levantamos

os levantáis

se levantan

33 The present continuous

The present continuous is used to indicate what is happening at the time of speaking, or when one action is happening at the same time as another. It is formed by taking the present tense of **estar** and the present participle of the main verb:

-ar ➡ -ando   estoy habl**ando**   *I am talking*

-er ➡ -iendo   está com**iendo**   *He/She is eating*

-ir ➡ -iendo   estamos escrib**iendo**   *We are writing*

Exceptions: leyendo durmiendo divirtiendo

It is often used after the verb **pasar** to express how you spend time:

Paso mi tiempo divirtiéndome, viendo la tele, haciendo deporte.   *I spend my time enjoying myself, watching TV, doing sport.*

34 The future tense

The future tense is used to say what will happen or take place.

Regular verbs

The future tense of regular verbs is formed by taking the infinitive and adding the following endings:

-ar (comprar)	**-er** (comer)	**-ir** (subir)
comprar**é**	comer**é**	subir**é**
comprar**ás**	comer**ás**	subir**ás**
comprar**á**	comer**á**	subir**á**
comprar**emos**	comer**emos**	subir**emos**
comprar**éis**	comer**éis**	subir**éis**
compar**án**	comer**án**	subir**án**

Some common irregular verbs are:

decir ➡ diré   haber ➡ habré

hacer ➡ haré   poder ➡ podré

poner ➡ pondré   querer ➡ querré

saber ➡ sabré   salir ➡ saldré

tener ➡ tendré   venir ➡ vendré

Another way to say that something is going to happen is to use **ir a** plus the infinitive. This is often known as the immediate future:

Voy a escribir una carta. *I'm going to write a letter.*

¿A qué hora vas a llegar? *What time are you going to come?*

35 The conditional tense

The conditional tense indicates an idea of what would, could or should happen.
It is formed by taking the infinitive and adding the following endings:

-ar (comprar)	-er (comer)	-ir (subir)
compraría	comería	subiría
comprarías	comerías	subirías
compraría	comería	subiría
compraríamos	comeríamos	subiríamos
compraríais	comeríais	subiríais
comparían	comerían	subirían

Irregular conditionals have the same endings as the regular verbs – it is the stem that changes. The irregulars are the same as for the future tense.

36 The preterite tense

The preterite tense is used to indicate an action which began and ended in the past.

Regular verbs

The preterite tense of regular verbs is formed by taking the infinitive, removing **-ar, -er** or **-ir** and adding the correct ending:

-ar (comprar)	-er (comer)	-ir (subir)
compré	comí	subí
compraste	comiste	subiste
compró	comió	subió
compramos	comimos	subimos
comprasteis	comisteis	subisteis
compraron	comieron	subieron

Irregular verbs

The most common irregular verbs are: dar decir estar hacer poder poner tener ver venir
They are given in full in the verb tables (pages 182–86). Note that they do not take accents in the preterite.

Ser and **ir** have the same form: fui fuiste fue fuimos fuisteis fueron
You will be able to work out the meaning from the context:
Fue al bar. *He went to the bar.*   Fue profesor. *He was a teacher.*

Some verbs change their spelling in the first person:
c ➡ qu   tocar – toqué   sacar – saqué   g ➡ gu   jugar – jugué   llegar – llegué

Some radical-changing verbs change in the 3rd person singular and plural forms:
e ➡ i: vestir – vistió, vistieron   sentir – sintió, sintieron   o ➡ u: dormir – durmió, durmieron

37 The imperfect tense

The imperfect tense is used to indicate what used to happen, what was happening or what someone or something was like in the past.

Regular verbs

To form the imperfect tense take the infinitive, remove the **-ar, -er** or **-ir** and add the following endings:

-ar (comprar)	**-er** (comer)	**-ir** (subir)
compr**aba**	com**ía**	sub**ía**
compr**abas**	com**ías**	sub**ías**
compr**aba**	com**ía**	sub**ía**
compr**ábamos**	com**íamos**	sub**íamos**
compr**abais**	com**íais**	sub**íais**
compr**aban**	com**ían**	sub**ían**

Irregular verbs

ir	**ser**	**ver**
iba	era	veía
ibas	eras	veías
iba	era	veía
íbamos	éramos	veíamos
ibais	erais	veíais
iban	eran	veían

38 The past continuous

The past continuous is similar to the present continuous but is used to describe something that was happening or taking place in the past but which is now finished. It is formed with the imperfect form of **estar** and the present participle:

¿Qué estabas haciendo? *What were you doing?*

Estaba bañándome. *I was taking a bath.*

¿Qué es lo que estaba pasando? *What was happening?*

Estaban divirtiéndose bastante. *They were really enjoying themselves.*

39 The perfect tense

This is used to indicate an action that happened (began and ended) in the same period of time as the speaker or writer is describing. It is also used in questions about the past which do not refer to any particular time. You will mostly need this in the oral part of your exam.

It is formed by using the present tense of **haber** (the auxiliary verb) plus the past participle of the verb you want to use.

haber	-ar (comprar)	-er (comer)	-ir (subir)	reflexive (cortarse)
he	comprado	comido	subido	me he cortado
has				te has ...
ha				se ha ...
hemos				nos hemos ...
habéis				os habéis ...
han				se han ...

Some common irregular past participles are:

abrir ➡ abierto	decir ➡ dicho	hacer ➡ hecho	poner ➡ puesto	ver ➡ visto
cubrir ➡ cubierto	escribir ➡ escrito	morir ➡ muerto	romper ➡ roto	volver ➡ vuelto

40 The pluperfect tense

This tense is used to indicate an action that had happened and was completed before another action took place in the past. It has two parts: the imperfect form of **haber** (the auxiliary verb) plus the past participle of the verb you want to use. See the perfect tense above for the irregular past participles.

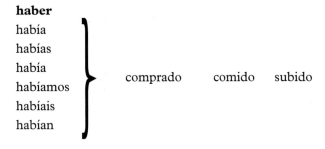

haber
había
habías
había
habíamos
habíais
habían
} comprado comido subido

41 The imperative

The imperative is used for giving commands and instructions.

	tú	vosotros/as	usted	ustedes
-ar comprar	compra	comprad	compre	compren
-er comer	come	comed	coma	coman
-ir subir	sube	subid	suba	suban

Reflexive forms in the **vosotros** form drop the **-d**:

levantad + os = levantaos
sentad + os = sentaos

Some common irregular verbs in the **tú** form:

decir ➡ di	ir ➡ ve	poner ➡ pon	tener ➡ ten
hacer ➡ haz	oír ➡ oye	salir ➡ sal	venir ➡ ven

42 The subjunctive

The subjunctive is not a tense – it is a mood. It can be used in the present and past tenses.
It is used quite frequently in Spanish. You will mainly need to use it:

- after **cuando**, when talking about the future, and with some other expressions of time
- in polite and negative commands
- to express a wish or a request: Quiero que vengas mañana. *I want you to come tomorrow.*
- to express doubt or uncertainty: No creo que tenga mi dirección. *I don't think he has my address.*
- to express emotions such as fear or joy: Tengo miedo de que no les vaya a gustar. *I'm afraid they're not going to like it.*

To form the present subjunctive, take the 1st person form of the present tense (**yo**), drop the **-o** and add the correct ending:

-**ar** (comprar)	-**er** (comer)	-**ir** (subir)
compr**e**	com**a**	sub**a**
compr**es**	com**as**	sub**as**
compr**e**	com**a**	sub**a**
compr**emos**	com**amos**	sub**amos**
compr**éis**	com**áis**	sub**áis**
compr**en**	com**an**	sub**an**

Verbs with an irregular first person follow the same rule:

salgo ➡ salga   hago ➡ haga

Radical-changing verbs follow their same pattern of change in the 1st, 2nd and 3rd person singular and plural forms.

Note the following common irregular verbs:

estar	dar	ser	ir
esté	dé	sea	vaya
estés	des	seas	vayas
esté	dé	sea	vaya
estemos	demos	seamos	vayamos
estéis	deis	seáis	vayáis
estén	den	sean	vayan

The past subjunctive will rarely be needed for your exam purposes but you should be aware of the following useful phrases:

(querer) Quisiera …   *I would like …*
(ser) Si fuera rico …   *If I were rich …*
(tener) Si tuviera …   *If I had …*

43 The passive

This is formed by using the appropriate part of the verb **ser** plus the past participle (which agrees with the person or object just like an adjective).

El acueducto de Segovia fue construído por los romanos.
The aquaduct in Segovia was built by the Romans.

It is not used as much in Spanish as it is in English. It is often avoided by using an impersonal verb (see Section 46).

44 'Ser' and 'estar'

Both of these verbs mean 'to be' but they are used to indicate different circumstances.

Ser is used to express time and to refer to permanent situations, quality, character or origin.

Son las cinco en punto.   *It's exactly five o'clock.*
Es abogado y es muy bueno.   *He's a lawyer and he's very good.*
¡Qué listo eres!   *Aren't you clever!*

Estar is used to describe position and to refer to a temporary situation, state of health or mood.

Tus libros están encima del piano.   *Your books are on top of the piano.*
Estás muy guapa hoy.   *You look very nice today.*
¿Estás listo?   *Are you ready?*

It is also used when a change has taken place:

¿Está vivo o muerto? Está muerto.   *Is he alive or dead? He's dead.*
Mi hermano estaba casado pero ya está divorciado.   *My brother was married but now he's divorced.*

45 Verbs commonly used in the third person

gustar   encantar   interesar   molestar   preocupar   hacer falta   doler

The subject of the verb is often a singular or plural idea or thing:

Me interesa mucho esa idea.   *I'm very interested in that idea.*
Te encanta la música, ¿verdad?   *You love music, don't you?*
Nos hacen falta unas vacaciones.   *We need a holiday.*
Me duele la cabeza.   *My head hurts.*

46 Impersonal verbs

Se is often used to indicate the idea of 'one' or 'you/we' in a generalized way, often in notices. It is one way of avoiding the passive.

Aquí se habla inglés.   *English is spoken here.*
Se prohibe tirar basura.   *Do not dump rubbish.*
Se ruega guardar silencio.   *Silence please.*

Other useful impersonal expressions are **es necesario** and **hay que**.

47 Verbs and expressions which take an infinitive

Some of the most common of these are as follows:

acabar de
Acabo de entrar. *I have just come in.*

deber
Debo hacer mis deberes. *I must do my homework.*

esperar
Espero ir a la universidad. *I hope to go to university.*

gustar
Me gusta ir al cine. *I like going to the cinema.*

poder
No puedo salir mañana. *I can't go out tomorrow.*

ponerse a
Se puso a llorar. *He started to cry.*

preferir
Prefiero ver la tele que ir a la piscina. *I prefer watching TV to going to the swimming pool.*

querer
No quiero comer más. *I don't want to eat any more.*

soler
Suelo levantarme temprano. *I usually get up early.*

tener que
Tengo que estudiar. *I've got to study.*

volver a
Vuelve a salir. *He's going out again.*

> Some prepositions are used with an infinitive to mean *-ing*:
>
> antes de: antes de comenzar *before beginning*
> después de: después de llegar *after arriving*
> al: al llegar a Madrid *on arriving in Madrid*
> en vez de: en vez de salir *instead of going out*

48 Expressions with 'tener', 'dar' and 'hacer'

tener	dar(se)	hacer
cuidado	prisa	caso de
éxito	las gracias	buen/mal tiempo
frío/calor	la vuelta	las maletas
ganas de	la gana	cola
hambre	los buenos días	
miedo	cuenta de	
razón	un paseo	
sed		
sueño		
suerte		

Verb tables

Regular verbs

Infinitive	Present	Imperative	Perfect	Present participle	Past participle
-AR	compro		he comprado	comprando	comprado
comprar	compras	compra	has comprado		
to buy	compra	compre	ha comprado		
	compramos		hemos comprado		
	compráis	comprad	habéis comprado		
	compran	compren	han comprado		

	Preterite	Imperfect	Future	Conditional	Present subjunctive
	compré	compraba	compraré	compraría	compre
	compraste	comprabas	comparás	comprarías	compres
	compró	compraba	comprará	compraría	compre
	compramos	comprábamos	compraremos	comparíamos	compremos
	comprasteis	comprabais	compraréis	compraríais	compréis
	compraron	compraban	comprarán	comprarían	compren

Infinitive	Present	Imperative	Perfect	Present participle	Past participle
-ER	como		he comido	comiendo	comido
comer	comes	come	has comido		
to eat	come	coma	ha comido		
	comemos		hemos comido		
	coméis	comed	habéis comido		
	comen	coman	han comido		

	Preterite	Imperfect	Future	Conditional	Present subjunctive
	comí	comía	comeré	comería	coma
	comiste	comías	comerás	comerías	comas
	comió	comía	comerá	comería	coma
	comimos	comíamos	comeremos	comeríamos	comamos
	comisteis	comíais	comeréis	comeríais	comáis
	comieron	comían	comerán	comerían	coman

Infinitive	Present	Imperative	Perfect	Present participle	Past participle
-IR	subo		he subido	subiendo	subido
subir	subes	sube	has subido		
to go up	sube	suba	ha subido		
	subimos		hemos subido		
	subís	subid	habéis subido		
	suben	suban	han subido		

	Preterite	Imperfect	Future	Conditional	Present subjunctive
	subí	subía	subiré	subiría	suba
	subiste	subías	subirás	subirías	subas
	subió	subía	subirá	subiría	suba
	subimos	subíamos	subiremos	subiríamos	subamos
	subisteis	subíais	subiréis	subiríais	subáis
	subieron	subían	subirán	subirían	suban

Reflexive verbs

Infinitive	Present	Imperative	Perfect	Present participle	Past participle
levantarse	me levanto		me he levantado	levantándo(me)	levantado
to get up	te levantas	levántate	te has levantado		
	se levanta	levántese	se ha levantado		
	nos levantamos		nos hemos levantado		
	os levantáis	levantaos	os habéis levantado		
	se levantan	levántense	se han levantado		

Radical-changing verbs

Infinitive	Present	Imperative	Present participle	Past participle
pensar (ie)	pienso		pensando	pensado
to think	piensas	piensa		
	piensa	piense		
	pensamos			
	pensáis	pensad		
	piensan	piensen		
jugar (ue)	juego			
to play	juegas	juega		
	juega	juegue		
	jugamos			
	jugáis	jugad		
	juegan	jueguen		
volver (ue)	vuelvo			
to return	vuelves	vuelve		
	vuelve	vuelva		
	volvemos			
	volvéis	volved		
	vuelven	vuelvan		
dormir (ue)	duermo			
to sleep	duermes	duerme		
	duerme	duerma		
	dormimos			
	dormís	dormid		
	duermen	duerman		
pedir (i)	pido			
to ask for	pides	pide		
	pide	pida		
	pedimos			
	pedís	pedid		
	piden	pidan		

The most common irregular verbs

Infinitive	Present	Future	Preterite	Imperfect	Present participle	Past participle
dar	doy	daré	di	daba	dando	dado
to give	das	darás	diste	dabas		
	da	dará	dio	daba		
	damos	daremos	dimos	dábamos		
	dais	daréis	disteis	dabais		
	dan	darán	dieron	daban		
decir	digo	diré	dije	decía	diciendo	dicho
to say	dices	dirás	dijiste	decías		
	dice	dirá	dijo	decía		
	decimos	diremos	dijimos	decíamos		
	decís	diréis	dijisteis	decíais		
	dicen	dirán	dijeron	decían		
estar	estoy	estaré	estuve	estaba	estando	estado
to be	estás	estarás	estuviste	estabas		
	está	estará	estuvo	estaba		
	estamos	estaremos	estuvimos	estábamos		
	estáis	estaréis	estuvisteis	estabais		
	están	estarán	estuvieron	estaban		
haber	he	habré	hube	había	habiendo	habido
to have	has	habrás	hubiste	habías		
(auxiliary)	ha	habrá	hubo	había		
	hemos	habremos	hubimos	habíamos		
	habéis	habréis	hubisteis	habíais		
	han	habrán	hubieron	habían		
hacer	hago	haré	hice	hacía	haciendo	hecho
to do	haces	harás	hiciste	hacías		
	hace	hará	hizo	hacía		
	hacemos	haremos	hicimos	hacíamos		
	hacéis	haréis	hicisteis	hacíais		
	hacen	harán	hicieron	hacían		
ir	voy	iré	fui	iba	yendo	ido
to go	vas	irás	fuiste	ibas		
	va	irá	fue	iba		
	vamos	iremos	fuimos	íbamos		
	vais	iréis	fuisteis	ibais		
	van	irán	fueron	iban		

oír	oigo	oiré	oí	oía	oyendo	oído
to hear	oyes	oirás	oíste	oías		
	oye	oirá	oyó	oía		
	oímos	oiremos	oímos	oíamos		
	oís	oiréis	oísteis	oíais		
	oyen	oirán	oyeron	oían		
poder	puedo	podré	pude	podía	pudiendo	podido
to be able	puedes	podrás	pudiste	podías		
	puede	podrá	pudo	podía		
	podemos	podremos	pudimos	podíamos		
	podéis	podréis	pudisteis	podíais		
	pueden	podrán	pudieron	podían		
poner	pongo	pondré	puse	ponía	poniendo	puesto
to put	pones	pondrás	pusiste	ponías		
	pone	pondrá	puso	ponía		
	ponemos	pondremos	pusimos	poníamos		
	ponéis	pondréis	pusisteis	poníais		
	ponen	pondrán	pusieron	ponían		
querer	quiero	querré	quise	quería	queriendo	querido
to want/love	quieres	querrás	quisiste	querías		
	quiere	querrá	quiso	quería		
	queremos	querremos	quisimos	queríamos		
	queréis	querréis	quisisteis	queríais		
	quieren	querrán	quisieron	querían		
reír	río	reiré	reí	reía	riendo	reído
to laugh	ríes	reirás	reíste	reías		
	ríe	reirá	rió	reía		
	reímos	reiremos	reímos	reíamos		
	reís	reiréis	reísteis	reíais		
	ríen	reirán	rieron	reían		
saber	sé	sabré	supe	sabía	sabiendo	sabido
to know	sabes	sabrás	supiste	sabías		
	sabe	sabrá	supo	sabía		
	sabemos	sabremos	supimos	sabíamos		
	sabéis	sabréis	supisteis	sabíais		
	saben	sabrán	supieron	sabían		

salir *to go out*	salgo sales sale salimos salís salen	saldré saldrás saldrá saldremos saldréis saldrán	salí saliste salió salimos salisteis salieron	salía salías salía salíamos salíais salían	saliendo	salido
ser *to be*	soy eres es somos sois son	seré serás será seremos seréis serán	fui fuiste fue fuimos fuisteis fueron	era eras era éramos erais eran	siendo	sido
tener *to have*	tengo tienes tiene tenemos tenéis tienen	tendré tendrás tendrá tendremos tendréis tendrán	tuve tuviste tuvo tuvimos tuvisteis tuvieron	tenía tenías tenía teníamos teníais tenían	teniendo	tenido
traer *to bring*	traigo traes trae traemos traéis traen	traeré traerás traerá traeremos traeréis traerán	traje trajiste trajo trajimos trajisteis trajeron	traía traías traía traíamos traíais traeían	trayendo	traído
venir *to come*	vengo vienes viene venimos venís vienen	vendré vendrás vendrá vendremos vendréis vendrán	vine viniste vino vinimos vinisteis vinieron	venía venías venía veníamos veníais venían	viniendo	venido

Grammar practice

Work through each set of exercises when you have thoroughly revised the unit in the Grammar section.

1, 2 & 3 Nouns, articles and adjectives

a Complete these sentences with the correct definite or indefinite article.

Example: ¿Hay _____ parque por aquí? Sí, _____ parque está a doscientos metros.

1 ¿Hay _____ piscina por aquí? No, _____ piscina está lejos.

2 ¿Hay _____ banco por aquí? Sí, _____ banco está en la calle mayor.

3 ¿Hay _____ disco por aquí? Sí, pero _____ disco no abre todavía.

4 ¿Hay _____ guantes en rebaja? Sí, _____ guantes están en la primera planta.

5 ¿Hay _____ zapatillas en rebaja? No, _____ zapatillas cuestan mucho.

b Practise asking for the following.

c Write these words in the plural form.

Example: el gato – los gatos

> el perro   la culebra   el tren   el hotel
> el lápiz   el jardín   la catedral   la calle

d Practise with a partner.

una foto   unas fotos

> autobús restaurante oficina radio mapa

e Find the feminine/masculine form of these words.

> actor tía inglés francesa profesor
> canadiense   médico

f Describe the contents of your schoolbag using suitable adjectives.

Tengo una mochila _____. Adentro hay un cuaderno _____, unas tijeras _____ , unos lápices _____ , una calculadora _____, una goma _____, un bolígrafo _____, un sacapuntas _____, unos rotuladores _____, un diccionario _____, una pluma _____ y mi estuche es _____.

g Write the opposite of each of these adjectives.

> trabajador simpático tímido
> sociable gordo alto pequeño

Now describe your best friend.

h Describe your home.

Mi casa es _____. Tiene dos dormitorios _____ y un cuarto de baño _____. Hay una cocina _____ que tiene aparatos _____. El comedor es _____ y tiene _____ sillas y una mesa _____. En la sala tenemos un televisor _____ y un sofá muy _____. Me gusta mi casa porque es _____.

4 & 5 Possessive and demonstrative adjectives

a Choose the correct form of the adjective.

1 Quiero comprar esta/estos bufanda aquí.

2 Voy a probar este/estas zapatillas también.

3 Deme un kilo de aquellas/aquella manzanas, por favor.

4 No me gustan eso/esos tomates – son feos.

5 ¿Dónde está tu/vuestra casa, María?

6 Vivimos lejos. Su/nuestra casa está en las afueras.

7 Mi amigo Pablo vive cerca. Tu/su casa está en la misma calle.

8 Vosotros sois vecinos. Su/vuestra casa está al lado de vuestro/nuestra casa, ¿verdad?

b Choose some presents and say who they are for.

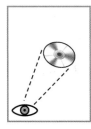  

| este   ese   aquel |

1   Voy a comprar _____ para _____ abuelo.

2   Juana va a comprar _____ para _____ madre.

3   ¿Vas a comprar _____ para _____ hermana?

4   Ellos van a comprar _____ para _____ padre.

5   Bueno, nosotros vamos a comprar _____ para _____ tía.

6   Vale, y vosotros vais a comprar _____ para _____ profesor, ¿verdad?

6 & 7 Comparatives

a Compare the following.

Example: España/Costa Rica/grande = España es más grande que Costa Rica.

El río Amazonas/el Tamesis/largo

Mont Blanc/Ben Nevis/alto

Mi abuelo/mi padre/mayor

b Now compare the following, adding your own adjective.

el judo/el fútbol/_____?

el teatro/la tele/_____?

los libros/las revistas/_____?

c Now say it's the most ...

_____ es el libro más interesante de todos.

| película divertida   ciudad grande   pueblo pequeño
| persona elegante   amigo bueno   programa malo |

d Now say it's very ...

> La película es buena.   Sí, es buenísima.

1   La Torre Eiffel es alta.

2   El ejercicio es fácil.

3   Rockefeller es rico.

4   Gracias, pero es mucho.

5   Por favor ponme poco.

e Compare the countries below.

Example: Guatemala/Honduras = Guatemala es casi **tan** grande **como** Honduras.
Honduras tiene **menos** habitantes **que** Guatemala pero **más que** Nicaragua.

País	Superficie (km²)	Habitantes (mill.)
México	1 973	96
Guatemala	109	10.9
El Salvador	21	5.9
Honduras	112	5.8
Nicaragua	148	4.6
Costa Rica	51	3.5
Panamá	78	2.7
Cuba	114	11.7
R. Dominicana	48	7.3
Colombia	1 138	37
Venezuela	912	22
Ecuador	284	11.7
Perú	1 285	24.6
Bolivia	1 099	8
Chile	757	14.5
Paraguay	407	5.5
Uruguay	176	3.2
Argentina	2 767	34.7

8 Adverbs

a Form adverbs from the following adjectives.

Example: fácil ➡ fácilmente/rápido ➡ rápidamente

posible   urgente   feliz   lento   general   frecuente

b Think up some more examples then write a sentence to illustrate the meaning of each.

Example: bueno ➡ bien Mi amiga baila bien.

c Complete the following sentences with a suitable adverb from the box.

Me gusta_____bailar salsa.

Voy al polideportivo los jueves y viernes – es decir_____.

_____llego a tiempo al colegio.

El señor Ruíz habla_____inglés.

Sí, pero habla_____italiano.

No me gusta el golf – lo juego_____.

El señor Gordo come_____.

Y también bebe_____.

siempre   mucho   poco   bien   mal   a menudo
bastante   demasiado

9 Negatives

Answer the following questions in the negative.

a ¿Quieres salir esta noche?

b ¿Siempre llegas tarde?

c ¿Había mucha gente en la playa?

d ¿Te gusta comer hamburguesas y salchichas?

e ¿Te interesan la geografía y la historia?

f ¿Tienes algo para mí?

g ¿Tienes algunas manzanas?

h ¿Pepe ha comprado unos recuerdos?

i ¿Ves algún reloj por aquí?

10 Interrogatives

a Complete these sentences with a suitable question word.

Example: ¿Qué vas a hacer esta tarde?

1 ¿A_____hora vas a salir?

2 ¿_____va a venir a visitarme?

3 ¿_____vive la señora de Martínez?

4 ¿_____se escribe tu nombre?

5 ¿_____hizo esto? Fue Laura.

6 ¿_____vale el pasaje a Mallorca?

7 Hay varios invitados. ¿_____son?

8 Hay algunas pensiones bonitas. ¿_____son?

9 Tengo varios lápices. ¿_____quieres?

10 ¿_____estudiantes hay en tu curso?

11 ¿_____aulas hay en tu colegio?

b Make up suitable questions for the following answers.

1 El autobús llega a las doce.

2 El castillo está abierto hoy.

3 Tengo quince años.

4 Voy al colegio a pie.

5 Pepe tiene dos hermanos.

6 La ciudad es bonita.

7 Hay mucho que ver en Sitges.

8 El señor se llama Ruíz.

9 Vamos al cine.

10 Mi deporte favorito es el surf.

11 'Y' and 'o'

Write the following in Spanish.

a I have six or seven pens.

b Well, I have seven or eight pens.

c Which do you prefer – tents or hotels?

d Today it's cold; there is snow and ice.

e I like biology and history.

f Clara and Isabel are my friends.

12 Personal 'a'

Unjumble these sentences and decide if they need a personal 'a'.

a gatita adoro mi

b ¿la conoces Brown señora?

c amigo te mejor presento mi

d veo libro no tu

e buen buscamos abogado un

13 & 14 Subject and reflexive pronouns

a Complete these sentences with an appropriate subject or reflexive pronoun.

1 ¿Quién va a la piscina?_____vamos enseguida.

2 ¿_____ no quieres helado? No,_____no quiero pero Ana y Carolina,_____sí quieren.

3 ¿Roberto quiere helado? No creo,_____no come helado.

4 ¿Quién llama? Soy_____.

5 Bueno, pues eres_____. No será Maya; _____está en Colombia.

6 Pedro, ¿_____a qué hora_____levantas?

7 Normalmente_____levanto a las seis.

8 Pero mañana voy a levantar_____a las doce.

9 Bueno, ¿y tus hermanos? Uf,_____son aún más vagos que_____. No van a levantar_____hasta las dos de la tarde.

b ¿Qué has hecho? Answer with an appropiate reflexive pronoun.

Example: cortarse el dedo (yo) – Me he cortado el dedo.

1 bañarse (tú)

2 levantarse (María)

3 peinarse (Julio)

c Answer the questions.

Example: ¿Os habéis acostado? No, no nos hemos acostado todavía.

1 ¿Se han levantado?

2 ¿Te has bañado?

Make up more examples of your own.

Vestirse.   No me he vestido todavía.

15 Tú and usted, vosotros and ustedes

Put the following into the plural form.

a ¿Qué prefieres hacer?

b ¿Quieres salir esta noche?

c Vas a ver una película buena.

d ¿Tomas vino o agua?

e ¿Dónde vives?

f ¿Qué haces los domingos?

g ¿Eres inglés o español?

Now use the same sentences addressing someone in a polite way, first in the singular then in the plural.

16 & 17 Direct object and indirect object pronouns

a Replace the words underlined with appropriate pronouns.

Example: ¿Quieres comprar **la camisa**? Gracias, **la** compro. Sí, voy a **comprarla**.

1 ¿Quieres comprar los vaqueros?

2 ¿Quieres comprar el vestido?

los zapatos   el abrigo   las sandalias   los pantalones   la sudadera

b Now answer these questions using a pronoun instead of a noun.

Example: ¿Dónde compras los tomates? Normalmente **los** compro en el mercado.

1 ¿Cuándo tomas cereales?

2 ¿Cuándo bebes té?

3 ¿Cuándo ves las noticias?

4 ¿Cuándo lees tu libro?

c Ask and answer questions with your partner.

¿Dónde está/están _____? No _____ veo.

_____ he puesto en_____.

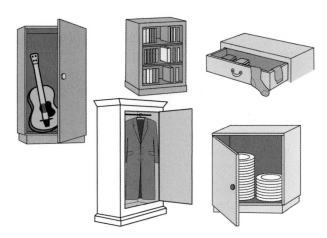

Invent more of your own examples.

2 Answer these questions following the example.

Example: ¿Has visto **a Pedro**? No **le** he visto hoy pero voy a **verle** mañana.

¿Has visto a ... María? los Gómez? mis padres? Juan? las chicas?

3

¿Me prestas **un bolígrafo**? ¿**Me lo** prestas?

Claro, voy a **prestártelo**.

Now go through all the contents of your schoolbag in the same way.

4 Now try these examples.

¿Qué le regalas a Miguelito? ¿Una corbata?

Sí, se la regalo.

Pero yo quiero regalársela.

Cristina/un CD	tu madre/unas flores
Felipe/una guitarra	tu abuelo/unos pañuelos
tu hermano/un perro	los gemelos/un juguete

18 Possessive pronouns

a Say the other person's is as well.

Example: Mi casa es grande – la tuya también.

Tu bici es roja – la mía también.
su bolsa/de cuero
nuestro coche/nuevo
sus chocolates/deliciosos
mi CD/divertido
tu camiseta/amarilla

b Now answer these questions following the example.

Example: ¿Es tuya esta bolsa roja? No, la mía es azul.

1 camiseta – blanca – negra
2 bolso – grande – pequeño
3 jersey – verde – amarillo
4 zapatos – marrones – negros

Now ask various people.
Example: ¿Es vuestra esta bolsa roja? No, la nuestra es azul.

Now ask someone you do not know.
Example: ¿Es suya esta bolsa roja?

c Complete the dialogues with suitable pronouns.

– Leonardo, ¿estos libros son _____?
– No, no son_____. Creo que son de Alejandro.
– Tienes razón, son_____; sí, son de _____.

– Señora, ¿esta bolsa es_____?
– No creo, me parece que es de Noelia y Cristina.
– Sí, es_____.

– Perdone, ¿son_____estas gafas, señor?
– No,_____están en mi bolsillo.

– Bueno, Roberto y Pedro, ¿este coche es _____?
– No, señor,_____está aquí.

191

19 & 20 Demonstrative and disjunctive pronouns

a Follow the example and say which present is for whom.

Example: regalo – padre – (tú) = Este regalo es para mi padre pero ése es para ti.

1 libro – María – (yo)
2 juguete – Santiago – (hermano)
3 corbata – abuelo – (padre)
4 flores – madre – (tía)

b Complete the dialogue with words from the box.

conmigo contigo consigo con él con ella

– Tómas, ¿quieres salir _____ esta noche?
– Lo siento, pero no puedo ir _____. Pepe me ha invitado al cine y tengo que ir _____.
– ¿Tienes las entradas?
– No, Pepe las trae _____ . Clara no hace nada. ¿Por qué no vas _____?

21 Relative pronouns

Link the two parts of these sentences with 'que' or 'quien'.

Example: He comprado un libro. Se llama *Harry Potter and the Philosopher's Stone.*

El libro **que** he comprado se llama *Harry Potter and the Philosopher's Stone.*

a He visto una película. Era muy buena.
b Jorge compró unos vaqueros. Son muy cortos.
c Mercedes se probó unas zapatillas. Le quedaron pequeñas.
d Tengo varios lápices. Son de todos los colores.
e Conozco a la señora. Se llama Maya.

22 & 23 Prepositions, 'por' and 'para'

a Explain where each person is.

Example: Cristina está delante de Marta, al lado de Paco, entre Paco y Sara y detrás de María.

Now imagine you are one of the named people. Say where each person is in relation to where you are. Then ask your partner where he/she is.

b Say where each item is.

Example: los libros/mesa – Los libros están sobre la mesa.

1 los discos/suelo
2 la guitarra/silla
3 el gato/cama
4 las revistas/estantería
5 los zapatos/armario

c Complete the following sentences with either 'por' or 'para'.

1 Salió _____ Barcelona esta mañana.
2 Dame dos euros _____ el libro.
3 Hay dos regalos _____ los niños.
4 Voy a España _____ dos semanas.

24 & 25 Cardinal and ordinal numbers

Say the following numbers to your partner. He/she writes them down.

16 23 120 486 500 750 825 999 1 000 100
1 litro de leche   Isabel II
21 estudiantes   Ricardo III
200 personas   Carlos V
500 libros

26 Clock time

a Ask your partner: ¿A qué hora abre/cierra?

> el banco   la farmacia   la biblioteca
> el restaurante   el supermercado
>
> 20:15   13:00   12:00   15:30   21:00

b Ask your partner: ¿A qué hora sale/llega?

> el tren   el avión   el autobús   el barco
>
> 6.55   19:21   11:33   22:04

27, 28 & 29 Days, months and dates

a When did it happen?

> 3 – 5 – 1966
> 1 – 1 – 2002
> 11 – 11 – 1917
> 14 – 10 – 1066
> 12 – 10 – 1492

b Say the following in Spanish.

Tuesday 28 March / Friday 16 July / Monday 21 May / Wednesday 13 December

c Make up a rhyme to remember the days of the week (l m m j v s d).
Sing the following:

Uno de enero, dos de febrero, tres de marzo, cuatro de abril, cinco de mayo, seis de junio, siete de julio, ¡San Fermín!

30 Other expressions of time

a Say how long you have been doing the following things.

¿Hace cuánto tiempo ...

1 estudias español?
2 tocas la guitarra?
3 juegas al tenis?
4 practicas el judo?
5 vives en esta casa?
6 eres miembro del club X?
7 vas al club de jóvenes?

Now ask a friend the same questions and write out the answers.

b Make up some sentences to illustrate the following expressions of time.

> la semana pasada   ayer   el año que viene
> durante las vacaciones   mañana por la mañana
> después de las clases

31 & 32 The infinitive and the present tense

a Play a game of 'guess the infinitive' with a partner.

Example:

Compro.   Comprar – regular.

Hago.   Hacer – irregular.

Juego   Jugar – radical-changing.

> suben   escribes   viaja   jugamos   voy   tienen

Now think up some more examples of your own.

b How many regular verbs can you remember?
Write down 10 -ar verbs and 5 -er/-ir verbs.

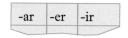

-ar	-er	-ir

c Write out your rhyme for remembering the irregular present tense verbs.

d Ask your partner the questions below. You need to complete them with the correct form of the present tense first.

1 ¿A qué hora ----- (levantarse) por la mañana?
2 ¿ -------- (bañarse) antes de desayunar?
3 ¿Qué ------ (tomar) para el desayuno?
4 ¿ ------- (beber) zumo natural o leche?
5 ¿ ------- (ponerse) uniforme?
6 ¿Cómo ----- (ir) al colegio?

e Work out some more questions based on what you do after school.

> volver a casa   tomar la merienda   cenar   ver la tele
> jugar con el ordenador   hacer los deberes   acostarse

Ask a friend and write an account about them.

f Complete the text using the verbs below.

_____ bailar salsa pero no_____ver la tele.
_____ ser activa. Por ejemplo,_____jugar al
tenis o nadar en la piscina. También_____ir al
polideportivo donde_____hacer yoga. ¿Tú qué
_____hacer?
Bueno, ... (answer for yourself)

querer   gustar   preferir   poder   encantar

33 The present continuous

a Say how you spend your time.
¿Cómo pasas tu tiempo?

b What are these people doing?

c Mime an action and ask your partner to guess
what you are doing.

¿Qué estoy haciendo?   Estás ...

d Answer the questions following the example.
Example: ¿Has comido? No, estoy comiendo
ahora.

terminar   peinarse   lavarse   escribir la carta   jugar

Make up some more examples of your own.

34 The future tense

a Say what your plans are for tomorrow.
Example: hablar – hablaré

Si mañana hace buen tiempo ...
Primero - hacer los deberes
Después poder jugar al tenis
Y ponerme los shorts y una camiseta
Por la tarde ...
Salir con amigos
Ir de compras
Tener tiempo para comer tapas
Por la noche ...
Ver una buena película
Venir a casa antes de la medianoche

b Ask and answer questions following the example.

¿Vas a ir al cine?   No sé si iré.

comer tapas   escribir la carta   subir la torre ponerse los vaqueros nuevos   estar contento querer salir

c Write about what you are going to do this evening.
Hoy por la noche voy a ...

35 The conditional tense

a Give some advice to a friend.

Example: Yo que tú **hablaría** (hablar) con el profe.

1 llegar temprano
2 salir con un grupo de amigos
3 ponerse el uniforme
4 ser más prudente
5 no llevar joyas lujosas
6 tener más cuidado

b Explain how you would spend your lottery winnings.

> comprar un coche   viajar por el mundo   visitar muchos países vivir ...   hacer ...   ser ...

Make up some more examples of your own.

36 The preterite tense

a Link the following questions to an appropriate answer.

1 ¿A qué hora fuiste al colegio esta mañana?
2 ¿Cuándo llegaste a Barcelona?
3 ¿Quién te invitó?
4 ¿Cómo viajaste?
5 ¿Adónde saliste?
6 ¿Qué escribiste?

> Viajé por avión.
> Llegué el viernes pasado.
> Escribí una tarjeta postal.
> Fui a las ocho.   Salí a las Ramblas.
> Los Jiménez me invitaron.

b Answer the following questions.

¿Qué asignatura tuviste hoy a las diez?
¿Dónde hiciste la práctica laboral?
¿A qué hora empezaste a trabajar?
¿Te pusiste uniforme?
¿Hablaste con el director?
¿Qué le dijiste?
¿Qué tal te fue?
¿Estuviste cansado al final del día?

c Play 'guess the infinitive' with a partner.

> Tuviste.   tener – irregular.

> fui compré subieron hizo estuve escribieron durmió

Now make up some examples of your own.

37 & 38 The imperfect and past continuous tenses

a Talk about when you were at junior school.

1 ¿Qué deporte practicabas?
2 ¿Dónde vivías?
3 ¿Qué programas veías en la tele?
4 ¿Qué te gustaba leer?
5 ¿A qué hora te acostabas?
6 ¿Qué ropa te ponías?
7 ¿Cómo tenías el pelo?
8 ¿Cómo se llamaba tu colegio?

Now use the questions to interview a friend. Write an account about your friend using his/her answers.

b ¿Qué estaban haciendo? ¿Qué estaba pasando? Look back at section 33 and now say what **was** going on in the picture.

c Ask a friend: ¿Qué estabas haciendo ayer a las diez de la mañana?

¿Qué estabas haciendo esta mañana a las siete?

Continue making up more examples of your own.

d Explain what was going on when something else happened.

Example: hablar/llamar

Mientras hablaba por teléfono un amigo llamó a la puerta.

Mientras estaba hablando un amigo llamó a la puerta.

1 comer/ver a un amigo
2 caminar por la calle/robar el bolso
3 correr detrás del ratero/caerse
4 leer el periódico/llegar la carta
5 buscar las llaves/encontrar el bolígrafo
6 estar en el centro/comprar unos recuerdos
7 dormir/sonar el teléfono

39 The perfect tense

a   Say you have already done it.
   Example:

   ¿Quieres visitar el castillo?

   No, ya lo he visitado.

   comer pizza
   decir la respuesta
   leer el libro
   hacer la cama

b   Now say you haven't done it yet.
   Example:

   ¿Has llamado a Felipe?

   No le he llamado todavía.

   ir al supermercado
   comprar chocolates
   preparar la comida
   escribir las invitaciones
   ver mis zapatos nuevos
   hablar con tus padres
   poner la mesa

   Now change to the plural and ask various people.
   Example: ¿Habéis comprado chocolates? No los
   hemos comprado todavía.

40 The pluperfect tense

a   Explain that someone else had done it first.
   Example: Iba a hacerlo pero Juan ya lo había
   hecho.

   comer la ensalada
   preparar la comida
   escribir la carta
   decírselo
   invitar a los amigos

b   Explain what happened.
   Example: Se levantó tarde porque no había oído
   el despertador.

   1   El profe le castigó porque_____(no hacer
       los deberes).
   2   Tenía dolor de barriga porque_____(comer
       demasiado).
   3   Le dolía la cabeza porque_____(beber
       demasiado ron).
   4   No pudo coger el tren porque_____(perder
       el billete).
   5   No se encontraron a tiempo porque_____
       (no decirle la hora).
   6   La carta no llegó porque_____(no poner
       bien la dirección).

41 The imperative

a   Tell your friend to do the following things.
   Example: ¿Quieres cerrar la ventana? Cierra la
   ventana, por favor.

   1   ¿Puedes pasar la mermelada?
   2   ¿Puedes hablar más claro?
   3   ¿Quieres lavar el coche?
   4   ¿Puedes venir a mi casa?
   5   ¿Quieres traer el móvil?

   Now tell them not to do it.
   Example: No cierres la ventana. Gracias.

   Now ask a stranger to do all of these things.
   Example: ¿Quiere usted cerrar la ventana? Cierre
   la ventana, por favor.

b   Write the infinitives for the following.

   ┌───┐
   │ pon ven sal di ten oye haz ve   │
   └───┘

   Now write some sentences telling a friend what
   to do.

42 The subjunctive

a Complete the following sentences.

1 Cuando_____(venir) vamos a comer enseguida.

2 Cuando_____(llegar) voy a jugar al fútbol.

3 Cuando_____(tener) dinero vamos a comprarlo.

4 Cuando_____(hablar) con Jorge estaré contento.

5 Cuando_____(cumplir 18 años) irás a la uni.

6 Cuando_____(escribir) la carta le contestaré.

7 Cuando_____(ir) a la uni tendrás que estudiar bastante.

b Say what you do or don't want someone to do. Quiero que ... No quiero que ...

1 hacer esto – María

2 ir al cine – ellos

3 jugar al tenis – tú

4 venir a tiempo – Pedro

5 ser buenos – los gemelos

c Make up a list of house rules according to your parents' wishes for you and your brothers and sisters.

Mis padres quieren que ... No quieren que ...

> ser ruidosos   recoger la sala   hablar en voz baja
> ayudar en casa   salir con amigos malos
> llegar tarde   estudiar mucho

Invent a few more examples of your own.

43 The passive

a Turn these sentences into the passive.

Example: María hizo la tarta – La tarta fue hecha por María.

1 El profe castigó a mi amigo.

2 Reservamos los billetes.

3 Pepe compró unos zapatos.

4 Los portugueses colonizaron Brasil.

5 Colón 'descubrió' América.

b Now turn these passive sentences back into the active.

Example: El acueducto fue construido por los romanos.
Los romanos construyeron el acueducto.

1 Las joyas fueron encontradas por los niños.

2 Las cuevas de Nerja fueron descubiertas por Ayo.

3 *Harry Potter and the Philosopher's Stone* fue escrito por JK Rowling.

4 Nosotros fuimos invitados por Ramón.

44 'Ser' and 'estar'

Complete these sentences using the correct form of either 'ser' or 'estar'.

a Madrid_____la capital de España y_____ en el centro del país.

b Barcelona_____muy moderna y_____en el noreste del país.

c Mi casa_____bonita y_____en el campo.

d María que_____en mi clase_____de Nueva York.

e _____muy trabajadora pero hoy no trabaja porque_____enferma.

f _____española pero_____casada con un inglés.

g _____muy contentos porque hoy_____ viernes.

h Los fines de semana nunca_____aburridos.

45 & 46 Impersonal and third-person verbs

a Make up some notices using the phrases in the box.

> no se permite   fumar   hablar   se habla   inglés
> se ruega   francés   entrar   comer   se prohibe
> se puede   jugar   gritar   los perros   pisar el césped
> reciclar papeles

b Write a list of five things you can and can't do in your area.

En mi barrio ...

47 Expressions which take an infinitive

Write sentences using the following expressions.

| acabar de   volver a   ponerse a   tener que |
| deber   antes de   después de   al   en vez de |

a comer vamos a salir

b comer pizza vamos a comer pasta

c hacer una tormenta

d ver una película fenomenal

e visitar a mis abuelos

f entrar en la clase los estudiantes se levantaron

g acostarse hay que lavar los dientes

h ayudar en casa

Now say what each one means in English.

48 Expressions with 'tener', 'dar' and 'hacer'

Complete the following sentences using the expressions in the box.

Example: Tengo mucha suerte porque saqué sobresaliente.

| tener suerte   tener hambre   tener sueño |
| dar(se) prisa   dar las gracias   dar un paseo |
| hacer buen tiempo   hacer mal tiempo |
| hacer las maletas |

a ... porque me gusta caminar.

b ... porque vamos de vacaciones mañana.

c ... porque no he comido nada.

d ... porque nos regalaron unos chocolates.

e ... y por eso vamos a quedarnos en casa.

f ... porque no pude dormir anoche.

g ... y por eso vamos a ir a la playa.

h ... porque vamos a llegar tarde.

English–Spanish vocabulary

This section provides an English–Spanish glossary of useful words and phrases, arranged thematically, for each of the modules.

Module 1: My world

1A Self, family and friends

classmate   compañero/a de clase, el/la
cousin   primo/a, el/la
family   familia, la
father   padre, el
friend   amigo/a, el/la
grandfather   abuelo, el
grandmother   abuela, la
He has curly/straight hair   Tiene el pelo rizado/liso
He's self-employed   Trabaja por su cuenta
He likes his work   Le gusta su trabajo
He wears glasses   Lleva gafas
How do you spell that?   ¿Cómo se escribe?
How many people are there in your family?   ¿Cuántas personas hay en tu familia?
How old are you?   ¿Cuántos años tienes?
How tall are you?   ¿Cuánto mides?
I'm an only child   Soy hijo/a único/a
I'm English   Soy inglés/inglesa
I'm from Manchester   Soy de Manchester
I'm shy/extrovert/tall/thin   Soy tímido/a / extrovertido/a / alto/a / delgado/a
I'm the oldest   Soy el/la mayor
I get on well with him   Me llevo bien con él
I have black hair   Tengo el pelo negro
I have a dog/a cat/a fish   Tengo un perro/un gato/un pez
I have two brothers   Tengo dos hermanos
I love animals   Me encantan los animales
mother   madre, la
My boyfriend's/girlfriend's name is …   Mi novio/novia se llama …
My parents are divorced/separated   Mis padres están divorciados/separados
My sister is married   Mi hermana está casada
My uncle is a mechanic/a computer programmer   Mi tío es mecánico/programador
retired   jubilado/a
She has blue eyes   Tiene los ojos azules
shop assistant   dependiente, el/la
stepbrother   hermanastro, el
stepfather   padrastro, el
stepmother   madrastra, la
unemployed   en paro
unmarried   soltero/a
What's his/her job?   ¿En qué trabaja?
What's your name?   ¿Cómo te llamas?
What's your surname?   ¿Cuál es tu apellido?

When's your birthday?   ¿Cuándo es tu cumpleaños?
Where are you from?   ¿De dónde eres?

1B Interests and hobbies

cinema   cine, el
cycling   ciclismo, el
Do you want to go to the swimming pool?   ¿Quieres ir a la piscina?
every day   cada día
free time   tiempo libre, el
from time to time   de vez en cuando
to go for a walk   pasear
How do you spend your free time?   ¿Cómo pasas tu tiempo libre?
How much time do you spend watching TV?   ¿Cuánto tiempo pasas viendo la tele?
I'm learning to play the guitar   Estoy aprendiendo a tocar la guitarra
I can't   No puedo
I do a lot of sport   Practico mucho deporte
I don't feel like it   No tengo ganas
I don't have permission   No tengo permiso
I go to the disco   Voy a la discoteca
I like dancing/playing on the computer   Me gusta bailar/jugar en el ordenador
I like playing football/basketball   Me gusta jugar al fútbol/baloncesto
I love surfing the net   Me encanta navegar en el internet
I play chess   Juego al ajedrez
I play the drums/guitar   Toco la batería/la guitarra
I spend hours reading/listening to music   Paso horas leyendo/escuchando música
I would like to go out   Me gustaría salir
to keep fit   mantenerse en forma
to meet people   conocer a gente
member   socio, el/miembro, el
once a week   una vez a la semana
party   fiesta, la
to skate   patinar
skateboard   monopatín, el
sports centre   polideportivo, el
swimming   natación, la
table tennis   ping-pong, el
team   equipo, el
What do you prefer (to read)?   ¿Qué prefieres (leer)?
What else would you like to do?   ¿Qué otra cosa te gustaría hacer?
What's your favourite hobby?   ¿Cuál es tu pasatiempo preferido?
When do you do it?   ¿Cuándo lo haces?
Where do you do it?   ¿Dónde lo haces?

Which sport do you prefer? ¿Cuál deporte prefieres?
youth club club de jóvenes, el

1C Home and local environment

behind/under/next to/on the table detrás de/debajo de/al lado de/sobre la mesa
dining room comedor, el
Do you share with your brother/sister? ¿Compartes con tu hermano/a?
Does it have a garden/central heating? ¿Tiene un jardín/calefacción central?
How many rooms does it have? ¿Cuántos cuartos tiene?
I have my own room Tengo mi propia habitación
I live in a modern house/a flat Vivo en una casa moderna/un piso
I live near the sea/in the city centre/in the country Vivo cerca del mar/en el centro de la ciudad/en el campo
In my bedroom I have a bed, a wardrobe, a desk ... En mi habitación tengo una cama, un armario, un escritorio ...
In the kitchen we have a fridge, a freezer ... En la cocina tenemos un frigorífico, un congelador ...
It has two bedrooms/a red carpet Tiene dos dormitorios/una alfombra roja
It's in the north Está en el norte
living room sala, la
main road carretera, la
to move house mudarse (de casa)
My address is ... Mi dirección es ...
My bedroom is upstairs Mi habitación está arriba
My city has a cathedral, a museum, a shopping centre ... Mi ciudad tiene una catedral, un museo, un centro comercial ...
on the outskirts of the city en las afueras de la ciudad
rented alquilado
semi-detached house casa adosada, la
shower ducha, la
station estación, la
supermarket supermercado, el
The bathroom is downstairs El cuarto de baño está abajo
The street is very quiet La calle es muy tranquila
There is a lot to see Hay mucho que ver
There is a sofa, an armchair and a table Hay un sofá, un sillón y una mesa
There isn't a theatre Falta un teatro

We have a garage/a washing machine Tenemos un garaje/una lavadora
What colour is it? ¿De qué color es?
What else do you have? ¿Qué más tienes?
What furniture do you have? ¿Qué muebles tienes?
What is there of interest for tourists? ¿Qué hay de interés para los turistas?
What's your city like? ¿Cómo es tu ciudad?
Where would you like to live? ¿Dónde te gustaría vivir?

1D Daily routine

After getting up Después de levantarme
to do the shopping hacer las compras
Do you get pocket money? ¿Recibes dinero propio?
Do you have a job? ¿Tienes un empleo?
to eat comer
to enjoy yourself divertirse
to fall asleep dormirse
First I brush my teeth/have a shower Primero me limpio los dientes/me ducho
to have a bath bañarse
to have breakfast desayunar
to have dinner cenar
to have lunch almorzar
How much do you earn? ¿Cuánto ganas?
I can't stand it No lo soporto
I eat in the cafeteria/at home Como en la cafetería/en casa
I go to bed early/late Me acuesto temprano/tarde
I hate it Lo odio
I have to wash the car/cut the grass Tengo que lavar el coche/cortar el césped
I meet my friends Me reuno con mis amigos
I spend it on CDs/books Lo gasto en CDs/libros
I wake up at 7 o'clock Me despierto a las siete
in the morning/afternoon/evening por la mañana/tarde/noche
it's fair/not fair es justo/injusto
it's OK está bien
to set the table poner la mesa
to sort out/tidy arreglar
to take out the rubbish sacar la basura
to take the dog for a walk pasear al perro
Then I brush my hair/get dressed Después me peino/me visto
usually por lo general/normalmente
to wash the dishes fregar los platos
What do you have to do? ¿Qué tienes que hacer?
What do you prefer? ¿Qué prefieres?

What's your opinion? ¿Qué opinas?
What time do you (get up)? ¿A qué hora (te levantas)?
When do you (have breakfast)? ¿Cuándo (desayunas)?
Who gives it to you? ¿Quién te lo da?

1E School and future plans

business studies comercio, el
careers advice orientación profesional, la
classroom aula, el
during breaktime durante el recreo
English inglés, el
exam examen, el
to get good/bad marks sacar buenas/malas notas
The good thing is … the bad thing is … Lo bueno es … lo malo es …
headteacher director, el
I'm good at art/English/maths Soy fuerte en dibujo/inglés/matemáticas
I find it quite easy/difficult Lo encuentro bastante fácil/difícil
I get x hours of homework each night Tengo x horas de deberes cada noche
I go to school by bus/train/car/on foot Voy al colegio en autobús/en tren/en coche/a pie
I hope to go to university Espero ir a la universidad
I intend to look for a job/continue studying Tengo la intención de buscar un empleo/continuar estudiando
in two years' time dentro de dos años
it's not allowed no se permite
IT informática, la
language idioma, el/lengua, la
to learn aprender
lesson lección, la
to make an effort hacer un esfuerzo
mark nota, la
My favourite subjects are … Mis asignaturas preferidas son …
to pass aprobar
PE educación física, la
pupil alumno/a, el/la
to revise repasar
science ciencias, las
Spanish español, el
sports field campo de deportes, el
teacher profesor(a), el/la
test prueba, la
There are x students in my school/class Hay x estudiantes en mi colegio/clase
We have to wear a uniform Tenemos que llevar uniforme

What are you going to do next year? ¿Qué vas a hacer el año que viene?
What are you going to study? ¿Qué vas a estudiar?
What do you hope to do in the future? ¿Qué esperas hacer en el futuro?
What subjects are you doing well in? ¿En qué asignaturas vas bien?

Module 2: Holiday time and travel

2A Travel, transport and finding the way

airport aeropuerto, el
arrival llegada, la
Can I sit here? ¿Me puedo sentar aquí?
Can you tell me where x is? ¿Me puede decir dónde está x?
cheaper más barato/a
departure salida, la
destination destino, el
Do I have to change? ¿Tengo que cambiar?
faster más rápido
Go straight ahead Siga todo recto
I've missed the train He perdido el tren
I prefer to go by bus/train/plane/boat Prefiero ir en autobús/tren/avión/barco
I want to travel first/second class Quiero viajar en primera/segunda clase
map mapa, el
more comfortable/clean más cómodo/a/limpio/a
motorway autopista, la
non smoker no fumador
on the way por el camino
park (car) aparcar
passenger pasajero/a, el/la
public transport transporte público, el
return ticket billete de ida y vuelta, el
Take the second on the left Coja la segunda a la izquierda
This seat is free Este asiento está libre
timetable horario, el
traffic lights semáforo, el
Turn right/left Dobla a la derecha/izquierda
underground metro, el
What time does it depart/arrive? ¿A qué hora sale/llega?
Where can I get information about …? ¿Dónde puedo informarme sobre …?
Where is the left luggage/ticket office/waiting room? ¿Dónde está la consigna/la taquilla/la sala de espera?
Which platform does it leave from? ¿De qué andén sale?
Which way is …? ¿Por dónde se va a …?

2B Tourism

to be on holiday estar de vacaciones
Can you recommend ...? ¿Puede recomendar ...?
to be cloudy/clear skies estar nublado/despejado
Did you have a good time? ¿Lo pasaste bien?
full board pensión completa, la
to go on holiday ir de vacaciones
to go on a trip hacer una excursión
good/bad weather hacer buen/mal tiempo
greetings from ... saludos de ...
guide guía, el
guide book guía, la
half board media pensión, la
to enjoy yourself divertirse
to be hot/cold hacer calor/frío
How much is it? ¿Cuánto cuesta?
I want to sunbathe/rest/visit interesting places Quiero tomar el sol/descansar/visitar lugares interesantes
I would like some information/a brochure Quisiera unos informes/un folleto
to rain llover
snow nieve, la
to be sunny/windy hacer sol/viento
to take photos sacar fotos
tourism turismo, el
tourist turista, el/la
We stayed in a hotel/on a campsite Nos alojamos en un hotel/un camping
What's the weather like? ¿Qué tiempo hace?

2C Accommodation

available/free libre
Can we hire ...? ¿Se puede alquilar ...?
comfortable cómodo/a
date of arrival/departure fecha de llegada/salida, la
guest house, small hotel pensión, la
double room habitación doble, la
For how many people? ¿Para cuántas personas?
For what date? ¿Para qué fecha?
I didn't sleep well last night No dormí bien anoche
I want to make a complaint Quiero quejarme
I would like to make a reservation Quisiera hacer una reserva
key llave, la
laundry lavandería, la
pillow almohada, la
reception recepción, la
to send a written confirmation mandar una confirmación por escrito

to sign firmar
single room habitación individual, la
tent tienda, la
There's no soap/toilet paper Falta jabón/papel higiénico
The sheets are dirty Las sábanas están sucias
The lift isn't working El ascensor no funciona
youth hostel albergue juvenil, el

2D Holiday activities
(ordering food and drink)

to ask for the menu pedir el menú
cup taza, la
dessert postre, el
Do you want to try ...? ¿Quieres probar ...?
Enjoy your meal! ¡Qué aproveche!
at a fixed price a precio fijo
fork tenedor, el
glass vaso, el
I'll have ... A mí me trae ...
I would like ... Quisiera ...
knife cuchillo, el
to pay pagar
plate/dish plato, el
Service is included El servicio está incluido
spoon cuchara, la
starters entremeses, los
tablecloth mantel, el
The bill, please La cuenta, por favor
This chicken is raw Este pollo está crudo
This glass is dirty Este vaso está sucio
tip propina, la
What do you recommend? ¿Qué recomienda usted?
What do you want to drink? ¿Qué quieres tomar?
wine glass copa, la

2E Services

bank note billete, el
to be hungry/thirsty tener hambre/sed
to be tired tener sueño
to break a leg/an arm romperse la pierna/el brazo
bureau de change cambio, el
Can you describe it to me? ¿Puede describírmelo?
cash machine cajero automático, el
coin moneda, la
Do you have an appointment? ¿Tiene cita?
to have a fever/temperature tener fiebre
Fill in the form, please Rellene el formulario, por favor
flu gripe, la

foot pie, el
hand mano, la
to have a cold estar resfriado/a
How do you want the money? ¿Cómo quieres el dinero?
I'm ill estoy enfermo/a
I feel dizzy/sick Me siento mareado/a
I've cut my finger Me he cortado el dedo
I've got a stomach ache/a cough Tengo dolor de barriga/tos
I've had an accident He tenido un accidente
I need to change a traveller's cheque Necesito cambiar un cheque de viajero
I want to send this letter/postcard/parcel Quiero enviar esta carta/esta postal/este paquete
medicine medicamento, el/medicina, la
My car has broken down Mi coche está averiado
My ears hurt Me duelen los oídos
pain dolor, el
pharmacy farmacia, la
to phone for an ambulance/the police llamar a una ambulancia/la policía
Sign here, please Firma aquí, por favor
sting picadura, la
sunstroke insolación, la
to take a tablet/an aspirin tomar una pastilla/una aspirina
What do you advise me? ¿Qué me aconseja?
What have you lost? ¿Qué ha perdido?
What's it made of? ¿De qué es hecho?
What's wrong? ¿Qué le pasa?
Where is the postbox? ¿Dónde está el buzón?
wound herida, la
You need some cream/cough mixture/a plaster Necesita una crema/un jarabe/una tirita

Module 3: Work and lifestyle

3A Home life

chore faena, la
to dust quitar el polvo
every morning todas las mañanas
to hoover pasar la aspiradora
household jobs quehaceres, los
How did you celebrate your birthday? ¿Cómo celebraste tu cumpleaños?
How do you help at home? ¿Cómo ayudas en casa?
I'm going to invite ... Voy a invitar a ...
I got lots of presents and cards Recibí muchos regalos y tarjetas
to iron planchar
My favourite breakfast is ... Mi desayuno preferido es ...

The party took place ... La fiesta tuvo lugar ...
They got married Se casaron
tradition tradición, la
What did you have for breakfast? ¿Qué desayunaste?
What do you do after school? ¿Qué haces después del colegio?
What do you do first in the morning? ¿Qué haces primero por la mañana?
Which is the healthiest breakfast? ¿Cuál es el desayuno más sano?

3B Healthy living

Are you fit? ¿Estás en forma?
cheese queso, el
chicken pollo, el
chips patatas fritas, las
coffee café, el
dessert postre, el
diet dieta, la/regimen, el
I'm on a diet Estoy a dieta
egg huevo, el
fish pescado, el
fruit juice zumo de fruta, el
hamburger hamburguesa, la
hot dog perrito caliente, el
ice cream helado, el
to keep fit mantenerse en forma
to lose weight perder peso
meat carne, la
milk leche, la
oil aceite, el
olive aceituna, la
orange naranja, la
red/white wine vino tinto/blanco, el
rice arroz, el
salad ensalada, la
salt sal, la
sandwich bocadillo, el
seafood mariscos, los
sugar azúcar, el
sweet bombón, el/caramelo, el
tea té, el
to take exercise hacer/practicar ejercicio
vegetables legumbres, las
vegetarian vegetariano/a
water agua, el
You should eat less fat/drink fewer fizzy drinks Debes comer menos grasa/beber menos gaseosas
You should eat more fruit Debes comer más fruta
You shouldn't drink beer/eat cakes No debes beber cerveza/comer pasteles

3C Part-time jobs and work experience

advertisement anuncio, el
application letter carta de solicitud, la
to apply for solicitar
to babysit hacer canguro
boss jefe, el/jefa, la
company compañía, la/empresa, la
Could you repeat that? ¿Quiere repetirlo?
to deal with people tratar a la gente
Did you have an interview? ¿Tuviste una entrevista?
to earn ganar
factory fábrica, la
Hello (on phone) ¡Diga!
I would like to speak to ... Quiero hablar con ...
It's important to gain experience/learn new things Es importante ganar experiencia/aprender nuevas cosas
job empleo, el
to look after cuidar
message recado, el
mobile phone teléfono móvil, el
office oficina, la
on behalf of de parte de ...
owner dueño/a, el/la
part time a tiempo parcial
to pay well/badly pagar bien/mal
position puesto, el
reference recommendación, la
salary sueldo, el
What does the work consist of? ¿En qué consiste el trabajo?
Where do you work? ¿Dónde trabajas?
Who's speaking? (on phone) ¡Dígame!
work experience práctica laboral, la

3D Leisure

action (film) de acción
advert propaganda, la
advertising publicidad, la
box office taquilla, la
bullfight corrida, la
cartoons dibujos animados, los
comedy comedia, la
concert concierto, el
dance baile, el
documentary documental, el
free libre
horror (film) de terror
If it rains we could ... Si lleuve podríamos ...
It's about ... Trata de ...
It's exciting/funny/entertaining Es emocionante/ gracioso/a /divertido/a

It tells the story of ... Cuenta la historia de ...
The main character is ... El personaje principal es ...
match partido, el
news noticias, las
in the open air al aire libre
romantic romántico/a
science fiction ciencia-ficción, la
showing sesión, la
singer cantante, el/la
soap opera telenovela, la
star estrella, la
ticket entrada, la
What's on? ¿Qué ponen?
What kind of programme is it? ¿Qué tipo de programa es?
When do you watch TV? ¿Cuándo ves la tele?
Where shall we meet? ¿Dónde nos encontramos?
Who did you go with? ¿Con quién fuiste?
Why do you like it? ¿Por qué te gusta?
Would you like to go to the cinema? ¿Te gustaría ir al cine?

3E Shopping

bag bolso, el
a bigger size una talla más grande
bookshop librería, la
butcher's carnicería, la
to buy comprar
chemist's (medicines) farmacia, la
chemist's (toiletries) droguería, la
clothes ropa, la
credit card tarjeta de crédito, la
customer cliente, el/la
department stores grandes almacenes, los
discount descuento, el
Do you have it in other colours? ¿Lo/La tiene en otros colores?
How can I help you? ¿En qué puedo ayudarle?
I don't like the style No me gusta el estilo
I would like to change (this t-shirt) Quisiera cambiar (esta camiseta)
I would like to try these jeans/trainers Quisiera probarme estos vaqueros/estas zapatillas
It doesn't fit him No le queda
market mercado, el
offer oferta, la
receipt recibo, el
reductions rebajas, las
to sell vender
shoes zapatos, los
shoe shop zapatería, la
shopping centre centro comercial, el
souvenir recuerdo, el

to spend gastar
supermarket supermercado, el
t-shirt camiseta, la
till caja, la
trousers pantalón, el
watch reloj, el
What size are you? ¿Qué talla eres?
Where do you go to buy …? ¿Adónde vas para comprar …?

Module 4: The young person in society

4A Character and personal relationships

affectionate cariñoso/a
aggressive agresivo/a
character carácter, el
extrovert extrovertido/a
friendly amistoso/a
friendship amistad, la
generous generoso/a
to get on well/badly with llevarse bien/mal con
hard-working trabajador(a)
to have a good sense of humour tener buen sentido de humor
He's always there when I need him Siempre está cuando le necesite
I'm quite a shy person Soy una persona bastante tímida
I like people who are (open) Me gustan las personas (abiertas)
jealous celoso/a
lazy perezoso/a
naughty mal educado/a / travieso/a
patient paciente
personality personalidad, la
quality cualidad, la
self-assured seguro/a de sí mismo/a
selfish egoísta
sensitive sensible
serious serio/a
Sometimes he behaves badly A veces se comporta mal
strict severo/a
talkative hablador(a)
They don't want to see my point of view No quieren ver mi punto de vista
understanding comprensivo/a
We have a good time together Nos divertimos juntos/as
We like the same things Nos gustan las mismas cosas
We understand each other Nos comprendemos

4B The environment

acid rain lluvia ácida, la
to avoid evitar
to cause causar
deforestation deforestación, la
to destroy destruir
destruction destrucción, la
earth tierra, la
ecological ecológico/a
environment medio ambiente, el
to invest in public transport invertir en el transporte público
jungle selva, la
the noise of the traffic el ruido del tráfico
The only solution is … El único remedio es …
ozone layer capa de ozono, la
to pollute contaminar
pollution contaminación, la/polución, la
to protect proteger
radioactive waste desechos radiactivos, los
to recycle cans and bottles reciclar las latas y las botellas
resource recurso, el
rubbish basura, la
to save energy ahorrar energía
to save the planet salvar el planeta
There are too many cars Hay demasiados coches
traffic jam atasco, el
unleaded petrol gasolina sin plomo, la
We have to reduce pollution Tenemos que reducir la contaminación
We should ban vehicles in the city centre Debemos prohibir los vehículos en el centro de la ciudad
What worries me is … Lo que me preocupa es …

4C Education

bullying maltrato, el/intimidación, la
career carrera, la
code of conduct norma, la
compulsory obligatorio/a
disabled minusválido/a
duties/obligations/homework deberes, los
exchange intercambio, el
facilities instalaciones, las
library biblioteca, la
option opción, la
punishment castigo, el
rights derechos, los
rule regla, la
strict estricto/a
to threaten amenazar

training   formación profesional, la
university   universidad, la

4D Careers and future plans

ambition   ambición, la
apprenticeship   aprendizaje, el
How old will you be?   ¿Cuántos años tendrás?
I don't know yet   No lo sé todavía
I haven't decided yet   No he decidido todavía
I hope to (travel all over the world)   Espero (viajar por el mundo entero)
I intend to (work as a volunteer)   Tengo la intención de (trabajar como voluntario/a)
I will get married   Me casaré
I would like to (be a journalist)   Me gustaría (ser periodista)
in five years' time   dentro de cinco años
qualification   calificación, la
There will be ...   Habrá ...
We will have to ...   Tendremos que ...
What will you be doing?   ¿Qué estarás haciendo?

4E Social issues, choices and responsibilities

alcohol   alcohol, el
cigarette   cigarrillo, el
danger   peligro, el
dangerous   peligroso/a
drug   droga, la
drunk   borracho/a
equal opportunities   igualdad de oportunidades, la
exploitation   explotación, la
to get drunk   emborracharse
harm   daño, el
to harm   dañar
to have the right   tener el derecho
health   salud, la
healthy   saludable/ sano/a
I agree   Estoy de acuerdo
I'm against ...   Estoy en contra de ...
I'm in favour of ...   Estoy a favor de ...
I don't care what others say   Para mí no es importante lo que dicen los otros
I like to express myself   Me gusta expresarme
It's easier to follow the rest   Es más fácil seguir a los demás
racism   racismo, el
smoke   humo, el
to smoke   fumar
to take drugs   drogarse
tobacco   tabaco, el
unemployed   en paro / parado/a
unemployment   desempleo, el

Spanish–English vocabulary

This vocabulary section contains the most common words which appear in the book, as well as some which appear in the reading material and are essential to understanding the text. Where a word has several meanings only those which occur in the book are given.
Verbs marked * indicate stem changes or spelling changes; those marked ** are irregular.

Abbreviations: *m.* = masculine noun; *f.* = feminine noun; *pl.* = plural; *fam.* = familiar, slang.

a menudo often
a partir de from
a veces sometimes
abajo below
abogado/a *m./f.* lawyer
abrazo *m.* hug
abrigo *m.* coat
abrir**** to open
abuelo/a *m./f.* grandfather/grandmother
aburrido/a bored/boring
acabar (de) to (just) finish
aceite (de oliva) *m.* (olive) oil
aceituna *m.* olive
aconsejar to advise
acordarse* **(de)** to remember
acostarse* to go to bed
actriz *f.* actress
actualmente actually, now
adelante forward
además besides
adentro inside
adiós goodbye
adivinar to guess
¿adónde? where to?
afeitar(se) to shave
afuera outside
afueras *f.pl.* outskirts
agotado/a exhausted
agradable pleasant
agradecer to thank
agua potable *f.* drinking water
agujero *m.* hole
ahora now
ahorrar to save
aire libre *m.* open air
aislado/a lonely
ajedrez *m.* chess
ajo *m.* garlic
albergue juvenil *m.* youth hostel
alcalde *m.* mayor
aldea *f.* village
alegrar(se) to be happy

alegre happy
alemán German
Alemania Germany
alfombra *f.* carpet
algo something
algodón *m.* cotton
alguien somebody
alguno/a some
al lado de beside
allí over there
almacén *m.* store, shop
almendra *f.* almond
almohada *f.* pillow
almorzar* to have lunch
alojamiento *m.* accommodation
alojarse to stay
alpinismo *m.* climbing
alquilar to hire
alrededor around
alto/a tall
alumno/a *m./f.* pupil
amable kind
ama de casa *f.* housewife
amanecer to dawn
amarillo/a yellow
ambiente *m.* atmosphere
ambos/as both
América del sur *f.* South America
amigo/a *m./f.* friend
amistad *f.* friendship
ancho/a wide
anchoa *f.* anchovy
andaluz/a Andalucian
andar**** to walk
antes de before
andén *m.* (railway) platform
anillo *m.* ring
anoche last night
anteayer the day before yesterday
anublado/a cloudy
anuncio *m.* advert
añadir to add
aparcamiento *m.* car park
apartamento *m.* apartment
apellido *m.* surname
apenas hardly
aprobar* to pass (exam)
aprovechar(se) de to take advantage of
apuntar to note down
apuntes *m.pl.* notes
aquel that
aquí here
árbol *m.* tree
arena *f.* sand
argentino/a Argentine

argumento *m.* plot
armario *m.* wardrobe
arreglarse to get ready
arriba above
arroz *m.* rice
artesanías *f.pl.* crafts
asado/a roasted
ascensor *m.* lift
así so
asignatura *f.* school subject
asistir a to take part, be present
aspiradora *f.* vacuum cleaner
asturiano/a Asturian
atar to tie (up)
aterrizar to land (plane)
atrás behind
atravesar★ to cross (over)
atún *m.* tuna
aula *f.* classroom
aún still, yet
aun even (so/if)
aunque although
autobús *m.* bus
autocar *m.* coach
autopista *f.* motorway
avión *m.* plane
avisar to warn
ayer yesterday
ayudar to help
ayuntamiento *m.* town hall
azafata *f.* air hostess
azúcar *m.* sugar
azul blue

bacalao *m.* cod
bachillerato *m.* school-leaving exam
bailar to dance
baile *m.* dance
bajar to go down
bajo/a low
balcón *m.* balcony
balonmano *m.* handball
banco *m.* bank
bandera *f.* flag
bañarse to have a bath
baño *m.* bath
barato/a cheap
barba *f.* beard
barco *m.* boat
barrer to sweep
barrio *m.* quarter (in town), area
bastante enough
basura *f.* rubbish
batería *f.* drum kit
bebé *m.* baby

beber to drink
bebida *f.* drink
besar to kiss
biblioteca *f.* library
bicicleta *f.* bicycle
bienvenido/a welcome
bigote *m.* moustache
bilingüe bilingual
billete *m.* ticket
billetero *m.* wallet
blanco/a white
blusa *f.* blouse
boca *f.* mouth
bocadillo *m.* sandwich
boda *f.* wedding
bodega *f.* wine cellar
bolera *f.* bowling alley
boletín *m.* school report
bolígrafo *m.* biro
bolsa *f.* bag
bolsillo *m.* pocket
bombero *m.* fireman
bombones *m.pl.* sweets
borracho/a drunk
borrador *m.* rubber
bonito/a pretty
bosque *m.* woods
botas *f.pl.* boots
botella *f.* bottle
brazo *m.* arm
brillar to shine
brisa *f.* breeze
británico/a British
broncearse to get a suntan
broma *f.* joke
bueno/a good
bufanda *f.* scarf
burro *m.* donkey
buscar to look for
buzón *m.* letter box

caballero *m.* gentleman
caballo *m.* horse
cabeza *f.* head
cabra *f.* goat
cada each
cadena *f.* chain, TV channel
caer(se)★ to fall
cafetería *f.* café
caja *f.* box
cajero automático *m.* cash machine
calamares *m.pl.* squid
calcetín *m.* sock
calculadora *f.* calculator
calefacción *f.* heating

calendario *m.*   calendar
calidad *f.*   quality
caliente   hot
callar(se)   to be quiet
calle *f.*   street
calor *m.*   heat
calvo/a   bald
cama *f.*   bed
camarero/a *m./f.*   waiter/waitress
cambiar   to change
cambio *m.*   change
camino *m.*   road, way
camión *m.*   lorry
camisa *f.*   shirt
camiseta *f.*   t-shirt
campo *m.*   field, countryside
Canal de la Mancha *m.*   English Channel
canción *f.*   song
cancha *f.*   sportsfield; court
canguro (hacer de)   to baby sit
cansado/a   tired
cantábrico/a   Cantabrian
cantante *m./f.*   singer
cantar   to sing
cantidad *f.*   quantity
capa (de ozono) *f.*   (ozone) layer
capaz   capable
cara *f.*   face
caramba   goodness!
caramelo *m.*   sweet
cárcel *f.*   prison
Caribe *m.*   Caribbean
cariño *m.*   love
carne *f.*   meat
carnicería *f.*   butcher's shop
carnicero *m.*   butcher
carnet de conducir *m.*   driving licence
caro/a   expensive
carpintero *m.*   carpenter
carrera *f.*   career
carretera *f.*   main road
carta *f.*   letter
cartero *m.*   postman
cartón *m.*   cardboard
casa *f.*   house
casado/a   married
casete *m.*   cassette
casi   almost
castaño/a   chestnut brown
castañuelas *f.pl.*   castanets
castellano/a   Spanish, Castillian
castillo *m.*   castle
castigar   to punish
catalán/ana   Catalan
Cataluña   Catalunya

catedral *f.*   cathedral
católico/a   Catholic
(a) causa (de)   because of
cebolla *f.*   onion
cena *f.*   supper
cenar   to have supper
cenicero *m.*   ashtray
centro *m.*   centre
centro comercial *m.*   shopping centre
cepillo *m.*   brush
cerámica *f.*   pottery
cerca de   near to
cerilla *f.*   match
cero   zero
cerrar★   to close
cerveza *f.*   beer
césped *m.*   lawn
cesta *f.*   basket
chaleco *m.*   waistcoat
chalet *m.*   detached house
champiñones *m.pl.*   mushrooms
chaqueta *f.*   jacket
charcutería *f.*   delicatessen
charlar   to chat
cheque de viaje *m.*   traveller's cheque
chico/a *m./f.*   boy/girl
chileno/a   Chilean
chiminea *f.*   chimney
chiste *f.*   joke
chocar   to crash into
choque *m.*   crash
chorizo *m.*   spicy pork sausage
chubasco *m.*   downpour
chuleta *f.*   chop
churros *m.pl.*   fritters
ciego/a   blind
cielo *m.*   sky
cien   one hundred
ciencia *f.*   science
ciencia ficción *f.*   science fiction
cierto/a   sure
cigarrillo *m.*   cigarette
cine *m.*   cinema
cinturón (de seguridad) *m.*   (seat)belt
circulación *f.*   traffic
cita *f.*   appointment
ciudad *f.*   city
claro/a   clear/of course
cliente *m./f.*   customer
cocina *f.*   kitchen
cocinero/a *m./f.*   chef
coche *m.*   car
código postal *m.*   postcode
coger★   to catch
cole *m. fam.*   school

cola *f.* queue
colegio *m.* school
colgar★ to hang up
colina *f.* hill
collar *m.* necklace
comedor *m.* dining room
comenzar★ to begin
comer to eat
comercio *m.* business
comida *f.* food, meal
comisaría *f.* police station
como as, like
cómodo/a comfortable
compañero/a *m.f.* colleague, classmate
compartir to share
comprar to buy
comprobar★ to check
con with
concurrido/a busy, crowded
concurso *m.* competition
conducir★★ to drive
conejo *m.* rabbit
confitería *f.* sweet shop
congelador *m.* freezer
conocer★ to know
conseguir★ to get, manage
consultorio *m.* surgery
contaminación *f.* pollution
contestar to reply
contar★ to count
contra against
copiar to copy
corazón *m.* heart
corbata *f.* tie
corregir★ to correct
Correos *m.pl.* Post Office
correr to run
correspondiente *m.f.* penfriend
corrida *f.* bull fight
cortar to cut
cortés polite
cortina *f.* curtain
corto/a short
cosa *f.* thing
cosecha *f.* harvest
coser to sew
costa *f.* coast
costar★ to cost
costumbre *f.* custom, habit
crecer to grow
creer★ to believe
cristal *m.* glass
Cruz Roja *f.* Red Cross
cuaderno *m.* exercise book
cuadrado/a square

cuadro *m.* picture or square
cual which (of several)
cuando when
cuanto/a how much/how many
cuarto *m.* room
cubrir to cover
cuchara *f.* spoon
cuchillo *m.* knife
cuello *m.* neck
cuenta *f.* bill, account
cuero *m.* leather
cuerpo *m.* body
cueva *f.* cave
cuidado be careful!
culebra *f.* snake
culebrón *m.* soap opera
culpa *f.* blame
cultivar to grow
cumplir (años) to have a birthday
cumpleaños *m.pl.* birthday
cura *m.* priest
curso *m.* course/year group
cuyo/a whose

daño *m.* damage
dar★★ to give
darse cuenta de to realise
darse prisa to hurry up
datos *m.pl.* data
de repente suddenly
debajo (de) underneath
deber to owe, have to/must
débil weak
deberes *m.pl.* homework
decepcionado upset
decir★★ to say
dedo *m.* finger
dejar to leave
delante (de) in front of
deletrear to spell
delgado/a thin
demás the rest
demasiado too much/too many
dentista *m.f.* dentist
dentro (de) inside
dependiente/a *m.f.* shop assistant
deporte *m.* sport
deprimido/a depressed
derecha *f.* right
derecho straight on
derechos *m.pl.* rights
desayunar to have breakfast
descansar to rest
desconocido/a unknown
describir★★ to describe

descuento *m.* discount
desde (hace) since
desempleo *m.* unemployment
deforestación *f.* deforestation
despacio slowly
despedirse★ to say goodbye
despejado/a clear sky, cloudless
después after
despertarse★ to wake up
destruir★ to destroy
detalle *m.* detail
detrás (de) behind
día *m.* day
diario/a daily
dibujar to draw
dibujo animado *m.* cartoon
diccionario *m.* dictionary
diente *m.* tooth
difícil difficult
dígame Who is speaking? (telephone)
dinero *m.* money
Dios *m.* God
dirección *f.* address
director(a) *m./f.* headteacher
dirigirse★ to go towards
dispuesto/a willing
divertirse★ to enjoy oneself
divertido/a amusing
doler★ to hurt
dolor *m.* pain
domingo *m.* Sunday
don masculine title (Mr)
donde where
doña feminine title (Mrs)
dormir★ to sleep
dormitorio *m.* bedroom
droguería *f.* chemist's (toiletries)
ducha *f.* shower
dueño/a *m./f.* owner
dulce sweet, kind
duro/a hard

echar to throw out
edad *f.* age
edificio *m.* building
EE.UU. *m.pl.* USA
egoísta selfish
ejemplo *m.* example
ejercicio *m.* exercise
ejército *m.* army
elefante *m.* elephant
elegante elegant
emocionante moving, exciting
empezar★ to start
empleo *m.* job

empleado/a *m./f.* employee
empresa *f.* company
empujar to push
encantar to like a lot
encima (de) on top of
encontrar(se)★ to find (meet)
encuesta *f.* survey
enfadado/a annoyed
enfermera *f.* nurse
enfermo/a ill
enfrente (de) opposite
enhorabuena congratulations
enorme enormous
ensalada *f.* salad
enseñar to teach
entender★ to understand
entonces then
entrada *f.* entrance/ticket (cinema, etc.)
entre between
entremeses *m.pl.* starters
entrevista *f.* interview
enviar to send
envolver★ to wrap up
época *f.* period of time
equipaje *m.* luggage
equipo *m.* team
equivocarse to make a mistake/be mistaken
escalera *f.* staircase
escocés/esa Scottish
Escocia Scotland
escribir★★ to write
escritorio *m.* desk
escuchar to listen to
escuela *f.* school
ese/a that
esfuerzo *m.* effort
E.S.O. (Educación Secundaria Obligatoria) *f.*
 compulsory secondary education
espalda *f.* back
España Spain
español(a) Spanish
espectáculo *m.* show
espejo *m.* mirror
esperar to wait for, hope
esposo/a *m./f.* husband/wife
esquí *m.* skiing
esquina *f.* corner
estación *f.* station/season of year
estadio *m.* stadium
Estados Unidos *m.pl.* United States
estanco *m.* tobacconist's
estar to be
este/a this
estómago *m.* stomach
estrecho/a tight, narrow

estrella *f.* star
estuche *m.* pencil case
estudiar to study
etapa *f.* stage of growth or plan
Europa Europe
éxito *m.* success
extranjero/a foreigner
extraterrestre extraterrestrial
extrovertido/a extrovert
evaluación *f.* assessment

fábrica *f.* factory
fácil easy
falda *f.* skirt
faltar to lack, be missing
farmacia *f.* chemist's (medicines)
fascinar to fascinate
fatal *fam.* awful
fecha *f.* date
felicidades congratulations
feliz happy
fenomenal brilliant
feo/a ugly
ferrocarril *m.* railway
ficha *f.* card
fiebre *f.* fever, temperature
fiesta *f.* party, festival
fin de semana *m.* weekend
finca *f.* farm
física *f.* physics
flaco/a thin, skinny
flor *f.* flower
floristería *f.* florist's
florero *m.* vase
folleto *m.* brochure
fondo *m.* bottom of
formación *f.* training
formulario *m.* form (to fill in)
francés/esa French
Francia France
frase *f.* sentence/phrase
fregar* to wash up
fresa *f.* strawberry
frijol *m.* bean
frío/a cold
fuego *m.* fire
fuegos artificiales *m.pl.* fireworks
fuente *f.* fountain
fuera (de) outside
fuerte strong
fumar to smoke
furioso/a furious

gafas (de sol) *f.pl.* (sun)glasses
galés/esa Welsh

Gales Wales
gallego/a Galician
galleta *f.* biscuit
gallina *f.* hen
gambas *f.pl.* prawns
ganar(se la vida) to win (earn a living)
ganga *f.* bargain
garganta *f.* throat
gasolina *f.* petrol
gastar to waste, spend
gato *m.* cat
gazpacho *m.* cold tomato soup
gemelo/a *m./f.* twin
gente *f.* people
gobierno *m.* government
golpe *m.* blow, kick
goma *f.* rubber
gordo/a fat
grabar to record
gracioso/a funny, amusing
Gran Bretaña Great Britain
grande large
granja *f.* farm
granizo *m.* hail
grave serious
Grecia Greece
griego/a Greek
grifo *m.* tap
gris grey
gritar to shout
grueso/a thick, solid
guante *m.* glove
guapo/a handsome, attractive
guerra *f.* war
guía *m.f.* guide
guisante *m.* pea
guitarra *f.* guitar
gustar to like

haber✶✶ to have (auxiliary verb)
habitación *f.* room
hablar to speak
hablador(a) talkative
hacer✶✶ to do, make
hacer falta to need
hacia towards
hambre *f.* hunger
hámster *m.* hamster
harto/a *fam.* fed up
hasta luego see you soon!
hay there is, there are
helado *m.* ice-cream
heladería *f.* ice-cream shop
herido/a wounded
hermano/a *m./f.* brother/sister

hielo *m.*   ice
hierba *f.*   grass
hijo/a *m./f.*   son/daughter
hogar *m.*   home
hola   hello!
hombre *m.*   man
hombro *m.*   shoulder
hora *f.*   hour, time
horario *m.*   timetable
hoy   today
huele bien   it smells good
huelga *f.*   strike
hueso *m.*   bone
huevo *m.*   egg
húmedo/a   damp, wet
humo *m.*   smoke

idioma *m.*   language
iglesia *f.*   church
igual   equal
imitar   to imitate
impaciente   impatient
impermeable *m.*   raincoat
incendio *m.*   fire
incluso   including
incómodo/a   uncomfortable
increíble   incredible
indicar   to point out
indígeno   native, indigenous
informática *f.*   information technology
ingeniero/a *m./f.*   engineer
Inglaterra   England
inglés/esa   English
inmediato/a   immediate
isla *f.*   island
insolación *f.*   sunstroke
instituto *m.*   institute, secondary school
intercambio *m.*   exchange
inundación *f.*   flood
inútil   useless
invierno *m.*   winter
ir★★   to go
Irlanda   Ireland
irlandés/esa   Irish
irse★★   to go away
izquierda *f.*   left

jabón *m.*   soap
jamás   never
jamón *m.*   ham
jarabe *m.*   syrup
jardín *m.*   garden
jaula *f.*   cage
jefe/a *m./f.*   boss
jerez *m.*   sherry
joven   young

joya *f.*   jewel
joyería *f.*   jeweller's shop
judías (verdes) *f.pl.*   beans (green)
juego *m.*   game
jueves *m.*   Thursday
juez *m.*   judge
jugar★   to play
junto a   next to
justo/a   just, fair
juventud *f.*   youth

kilómetro *m.*   kilometre

labio *m.*   lip
lado *m.*   side
ladrón *m.*   thief
lago *m.*   lake
lana *f.*   wool
langosta *f.*   lobster
largo/a   long
lámpara *f.*   lamp
lápiz *m.*   pencil
lástima *f.*   pity
lata *f.*   tin
lavabo *m.*   washbasin
lavadora *f.*   washing machine
lavaplatos *m.*   dishwasher
lavar(se)   to wash (oneself)
leche *f.*   milk
lechuga *f.*   lettuce
leer★   to read
legumbres *f.pl.*   vegetables
lejos (de)   far
lengua *f.*   tongue, language
lento/a   slow
letra *f.*   letter (handwriting)
levantarse   to get up
letrero *m.*   notice
ley *f.*   law
libra esterlina *f.*   English pound
libre   free
librería *f.*   bookshop
libro *m.*   book
ligero/a   light
limón *m.*   lemon
limpiar   to clean
lindo/a   pretty
liso/a   smooth, straight
listo/a   ready/clever
llama *f.*   llama
llamar(se)   to (be) call(ed)
llave *f.*   key
llegar   to arrive
llenar   to fill up
llevar   to wear, carry

llevarse bien   to get on well
llorar   to cry
llover★   to rain
lluvia *f.*   rain
lo siento   I'm sorry
loco/a   mad
Londres   London
luego   then, next
lugar *m.*   place
luna (de miel) *f.*   (honey)moon
lunes *m.*   Monday
luz *f.*   light

madera *f.*   wood
madre *f.*   mother
madrugada *f.*   dawn, early morning
maleta *f.*   suitcase
malo/a   bad
mandar   to send
manera *f.*   manner, way
mano *f.*   hand
mantequilla *f.*   butter
manzana *f.*   apple
mañana *f.*   morning
mañana   tomorrow
mapa *m.*   map
máquina *f.*   machine
mar *m.*   sea
marcar   to dial
marchar(se)   to leave, go away
marearse   to be seasick, feel dizzy
marido *m.*   husband
mariscos *m.pl.*   seafood
marrón   brown
martes *m.*   Tuesday
más   more
máscara *f.*   mask
matar   to kill
matrimonio *m.*   wedding, married couple
mayor   greater, bigger, older
mecánico *m.*   mechanic
media pensión *f.*   half board
medianoche *f.*   midnight
medias *f.pl.*   stockings
médico/a *m./f.*   doctor
medio ambiente *m.*   environment
mediodía *m.*   midday
mejilla *f.*   cheek
mejor   better
melocotón *m.*   peach
menor   lesser, younger, smaller
menos   less
mensaje *m.*   message
mensualmente   monthly
mentira *f.*   lie
mercado *m.*   market

merienda *f.*   tea, snack
mes *m.*   month
mesa *f.*   table
meseta *f.*   plateau
meter   to put
mexicano/a   Mexican
México   Mexico
miedo *m.*   fear
miel *f.*   honey
miembro *m.*   member
mientras   while
miércoles *m.*   Wednesday
mil   a thousand
milenio *m.*   millennium
mirar   to look
misa *f.*   mass
mismo/a   same
mitad *f.*   half
mochila *f.*   schoolbag, rucksack
moda *f.*   fashion
mojado/a   wet
molestar   to annoy
moneda *f.*   coin
monedero *m.*   purse
montaña *f.*   mountain
montar a caballo   to go horse riding
morado/a   purple
morder★   to bite
moreno/a   dark-skinned, dark-haired
morir★   to die
mosca *f.*   fly
mostaza *f.*   mustard
mostrar★   to show
moto *f.*   motorbike
muchacho/a *m./f.*   young man/woman
muchedumbre *f.*   crowd
mucho/a   much, a lot
muebles *m.pl.*   furniture
muela *f.*   tooth
muerto/a   dead
mujer *f.*   woman
multa *f.*   fine
mundo *m.*   world
muñeca *f.*   doll, wrist
museo *m.*   museum
músico *m.*   musician
muy   very

nacer★   to be born
nada   nothing
nadar   to swim
nadie   nobody
naranja *f.*   orange
nariz *f.*   nose
natación *f.*   swimming
navegar en el internet   to surf the Net

Navidad *f.* Christmas
niebla *f.* fog
negocio *m.* business
negro/a black
nervioso/a nervous
nevar★ to snow
nevera *f.* fridge
ni … ni … neither … nor
nieto/a *m./f.* grandson/granddaughter
nieve *f.* snow
ningún none, no
niño/a *m./f.* child
nivel *m.* level
noche *f.* night
Nochebuena *f.* Christmas Eve
Nochevieja *f.* New Year's Eve
nombre *m.* name
normas *f.pl.* code of conduct
notas *f.pl.* results, marks
noreste northeast
noroeste northwest
norte *m.* north
notable very good
noticias *f.pl.* news
novio/a *m./f.* fiancé(e), boyfriend/girlfriend
nube *f.* cloud
nublado/a cloudy
nuevo/a new
número *m.* number
nunca never

o or
obra *f.* work (of art)
obrero *m.* workman
ocupado/a occupied, busy
odiar to hate
oeste *m.* west
oferta *f.* special offer
oficina *f.* office
oído *m.* hearing
oiga hello, who's there? (telephone)
oir★★ to hear
ojalá if only
ojo *m.* eye
ola *f.* wave
olor *m.* smell
opinar to have an opinion about
olvidar(se) de to forget
opuesto/a opposite, opposed to
ordenador *m.* computer
oreja *f.* ear
orilla *f.* shore, bank of river
orgulloso/a proud
oro *m.* gold
ortografía *f.* spelling
oscuro/a dark

oso *m.* bear
otoño *m.* autumn
otro/a other
ozono *m.* ozone

padre *m.* father
padres *m.pl.* parents
pagar to pay
página *f.* page
país *m.* country
País Vasco *m.* Basque Country
paisaje *m.* countryside, landscape
pájaro *m.* bird
palabra *f.* word
pan *m.* bread
panadería *f.* bakery
pantalones *m.pl.* trousers
pantalla *f.* screen
pañal *m.* nappy
pañuelo *m.* handkerchief
papel *m.* paper
papelería *f.* stationer's
paquete *m.* parcel
para for, in order to
parabrisas *m.* windscreen
parada *f.* stop
paraguas *m.* umbrella
pararse to stop
parecido/a similar
parecerse a to look like
pared *f.* wall
pareja *f.* partner
pariente *m.f.* relation, relative
paro *m.* unemployment
partido *m.* match
pasado mañana the day after tomorrow
pasajero *m.* passenger
pasarlo bien/bomba/mal to have a good/great/bad time
pasatiempo *m.* hobby
Pascua *f.* Easter
pasearse to go for a walk
paseo *m.* walk, stroll
pasillo *m.* passageway
pasta de dientes *f.* toothpaste
pastel *m.* pie/pastry
pastelería *f.* cake shop
pastilla *f.* pill
patinar to skate
paz *f.* peace
pecho *m.* chest
pedazo *m.* piece, slice
pedir★ to ask for
peinarse to comb one's hair
película *f.* film
peligro *m.* danger

pelirrojo/a red-haired
pelo *m.* hair
pelota *f.* ball
peluquería *f.* hairdresser's
pena *f.* grief, sorrow
pensar★ to think
pensión *f.* small hotel, guesthouse
peor worse
pequeño/a small
perder★ to lose
perezoso/a lazy
perfumería *f.* perfume shop
periódico *m.* newspaper
periodista *m.lf.* journalist
pero but
permiso *m.* permission, excuse me!
permitir★ to allow
perro *m.* dog
personaje *m.* famous person
persiana *f.* roller blind
pesar to weigh
pesca *f.* fishing
pescado *m.* fish (to eat)
pescadería *f.* fishmonger's
pez *m.* fish (in sea)
picante spicy
pie *m.* foot
piedra *f.* stone
piel *f.* skin
pierna *f.* leg
piloto *m.* pilot
pimiento *m.* pepper
pintada *f.* grafitti
piña *f.* pineapple
Pirineos *m.pl.* Pyrenees
piscina *f.* swimming pool
piso *m.* floor, flat
planchar to iron
planta baja *f.* ground floor
plátano *m.* banana, plantain
playa *f.* beach
plaza *f.* square
pobre poor, unfortunate
poco/a few, a little
poder★★ to be able
polideportivo *m.* sports centre
policía *f.* police force
policía *m.f.* policeman/woman
pollo *m.* chicken
poner(se) (a)★★ to put (begin to)
por for, on behalf of
porque because
por qué why
por supuesto of course
portugués/esa Portuguese
postal f. postcard

postre *m.* dessert
precio *m.* price
preguntar to ask (a question)
premio *m.* prize
prestar to lend
primavera *f.* spring
primero/a first
primo/a *m.lf.* cousin
príncipe *m.* prince
principio *m.* beginning
probar(se)★ to try (on)
problema *m.* problem
procedente de coming from
profe(sor)(a) *m.lf.* teacher
prohibido/a forbidden
pronóstico *m.* forecast
pronto/a ready, early
propina *f.* tip
propio/a own
proteger to protect
próximo/a next, nearest
prueba *f.* proof, test
pueblo *m.* village
puente *m.* bridge
puerta *f.* door
puerto *m.* port
pues well then
pulsera *f.* bracelet

que which
¿qué tal? how are you?
quedar(se) to stay
querer★★ to wish, want, love
querer decir★★ to mean
querido/a dear
queso *m.* cheese
quien who(m)
química *f.* chemistry
quince días *m.pl.* fortnight
quiosco *m.* kiosk, stall
quisiera I wish, would like
quizá(s) perhaps
quitar(se) to take away, remove

ración *f.* portion
rápido/a fast, rapid
rascar to scratch
ratón *m.* mouse
rato *m.* short time
razón *f.* reason
realizar to realise, fulfil
rebaja *f.* reduction
recado *m.* message
receta *f.* recipe
recibir to receive
recibo *m.* receipt

recoger★ to collect, tidy
recomendación *f.* recommendation
recordar★ to remember
recreo *m.* break time
recto/a straight
recuerdos *m.pl.* souvenirs
redondo/a round
refresco *m.* refreshment
regalar to give a present
regalo *m.* present
regla *f.* ruler
regresar to return
reina *f.* queen
Reino Unido *m.* United Kingdom
reír(se)★ to laugh
reloj *m.* watch
rellenar to fill in (a form)
remedio *m.* remedy
RENFE *f.* Spanish national railway
repetir★ to repeat
reserva *f.* reservation
reservado/a shy, reserved
resfriado *m.* cold
respirar to breathe
retraso *m.* delay
retrete *m.* lavatory
revista *f.* magazine
rey *m.* king
rico/a rich
riesgo *m.* risk
rincón *m.* corner
río *m.* river
risa *f.* laughter
rizado/a curly
rodilla *f.* knee
rojo/a red
romper to break
ropa *f.* clothes
rosado/a pink
roto/a broken
rotulador *m.* felt-tip pen
rubio/a fair-haired, blond
ruido *m.* noise
ruta *f.* route
rutina *f.* routine

sábado *m.* Saturday
sábana *f.* sheet
saber★★ to know
sabor *m.* taste, flavour
sacar★ to take out
sacapuntas *m.* sharpener
sal *f.* salt
sala *f.* (sitting) room
salado/a salty
salchicha *f.* sausage

salida *f.* exit, way out
salir★ to go out
salsa *f.* spicy sauce or dance
salud *f.* health
saludar to greet
sandalias *f.pl.* sandals
sangre *f.* blood
sartén *m.f.* frying pan
seco/a dry
secretario/a *m.lf.* secretary
seda *f.* silk
seguida (en) immediately
seguir★ to follow
según according to
segundo/a second
sello *m.* stamp
selva *f.* forest, jungle
semáforo *m.* traffic lights
semana *f.* week
Semana Santa *f.* Holy Week
semanalmente weekly
sencillo/a simple
sentar(se)★ to sit (down)
sentir(se) to feel
señal *f.* sign
señor *m.* Mr, gentleman
señora *f.* Mrs, lady
ser★★ to be
serio/a serious
servicios *m.pl.* public toilets
si if
sí yes
SIDA *m.* Aids
siempre always
lo siento★ I'm sorry
sierra *f.* mountain range
siesta *f.* afternoon nap
significar to mean
siguiente following, next
silencio *m.* silence
silla *f.* chair
sillón *m.* armchair
simpático/a kind, nice
sin without
sin embargo nevertheless, however
sino but
sitio *m.* site, place
sobre *m.* envelope
sobre on top of
sobresaliente excellent
sobrino/a *m.lf.* nephew, niece
socorro *m.* help
sol *m.* sun
solamente only
soler★ to be used to (do usually)
solo/a alone

sólo only
soltero/a unmarried
sombra *f.* shade, shadow
sombrero *m.* hat
sonreír* to smile
sonrisa *f.* smile
sordo/a deaf
sorprender to surprise
sorpresa *f.* surprise
sótano *m.* basement
suave smooth
subir to go up, climb
subrayar to underline
sucio/a dirty
sudar to sweat
sudadera *f.* sweatshirt
Suecia Sweden
sueco/a Swedish
sueldo *m.* wage
suelo *m.* ground
sueño *m.* dream, sleep
suerte *f.* luck
Suiza Switzerland
suizo/a Swiss
súper *f.* four-star petrol
supermercado *m.* supermarket
suponer** to suppose
sur south
sureste southeast
suroeste southwest
susto *m.* fright

tal vez perhaps
talla *f.* size
taller *m.* workshop
tamaño *m.* size
también also, as well
tampoco neither
tan so, as
tanto … (como) as … (as …)
tapas *f.pl.* snacks
taquilla *f.* ticket office
tardar en to take time
tarde late
tarde *f.* afternoon
tarea *f.* task
tarifa *f.* tariff, price list
tarjeta *f.* card
taza *f.* cup
teatro *m.* theatre
techo *m.* roof
tejado *m.* tile (roof)
(teléfono) móvil *m.* mobile (phone)
tempestad *f.* storm
templado/a warm, mild
temprano/a early

tenedor *m.* fork
tener** to have

terminar to finish
ternera *f.* calf, veal
terraza *f.* terrace
tibio/a (luke)warm
tiempo *m.* weather, time
tiempo libre *m.* free time
tienda *f.* shop
tierra *f.* land
tijeras *f.pl.* scissors
tímido/a shy
tinto *m.* red wine
tío/a *m./f.* uncle/aunt
tirar to spill, throw
tirita *f.* plaster
toalla *f.* towel
tobillo *m.* ankle
tocar* to touch, play instrument
tocino *m.* bacon
todavía still, yet
todo/a all
tomar to take
tonto/a silly
tormenta *f.* storm
torneo *m.* tournament
toro *m.* bull
torpe clumsy
tortilla *f.* omelette
tortuga *f.* tortoise
tos *f.* cough
trabajar to work
trabajador(a) hardworking
traer** to bring
traducir* to translate
traje *m.* dress, suit
tranquilo/a quiet, calm
tras behind
tratar(se) de to be about
travieso/a naughty
triste sad
trozo *m.* piece, slice
turrón *m.* nougat

último/a last
único/a unique, only
usar to use
útil useful
utilizar to use
uva *f.* grape

vaca *f.* cow
vacaciones *f.pl.* holiday
vacío/a empty
vago/a lazy

vale fine! OK!
valer★ to be worth
valle *m.* valley
vaqueros *m.pl.* jeans
varios/as various
vasco/a Basque
vaso *m.* glass
vecino/a *m./f.* neighbour
vehículo *m.* vehicle
vela *f.* sailing
venda *f.* bandage
vender to sell
venir★★ to come
ventaja *f.* advantage
ventana *f.* window
ver★★ to see
verano *m.* summer
verdad *f.* truth
verde green
verduras *f.pl.* greens, vegetables
vestido *m.* dress, suit
vestirse★ to dress
veterinario/a *m./f.* vet
vez *f.* time, occasion
vida *f.* life
viajar to travel
videojuegos *m.pl.* video games
vidrio *m.* glass
viejo/a old
viento *m.* wind
vientre *m.* stomach
viernes *m.* Friday
vinagre *m.* vinegar
vino *m.* wine
vista *f.* view
vivir to live
volar★ to fly
volcán *m.* volcano
volver★ to return
vomitar to be sick, vomit
voz *f.* voice
vuelo *m.* flight

y and
ya already, now

zanahoria *f.* carrot
zapato *m.* shoe
zapatería *f.* shoe shop
zapatillas *f.pl.* trainers
zumo *m.* fruit juice

Maps

Countries and nationalities

All countries are feminine except for those marked *el* or *los*.

País	*Nacionalidad*	*País*	*Nacionalidad*
Alemania	alemán/ana	Colombia	colombiano/a
Antillas	antillano/a	Costa Rica	costarricense
Argentina	argentino/a	Cuba	cubano/a
Australia	australiano/a	Dinamarca	danés/esa
Austria	austríaco/a	*el* Ecuador	ecuatoriano/a
Bolivia	boliviano/a	Escocia	escocés/esa
Bélgica	belga	España	español(a)
el Brasil	brasileño/a	*los* Estados Unidos	estadounidense
el Canadá	canadiense	Filipinas	filipino/a
La república Checa	checo/a	Francia	francés/esa
el Chile	chileno/a	*el* Gales	galés/esa
China	chino/a	Gran Bretaña	británico/a
Chipre	chipriota	Grecia	griego/a
		Guatemala	guatemalteco/a

País	*Nacionalidad*	*País*	*Nacionalidad*
Holanda	holandés/esa	*el* Panamá	panameño/a
Honduras	hondureño/a	*el* Paraguay	paraguayo/a
Hungría	húngaro/a	*el* Perú	peruano/a
India	indio/a	Polonia	polaco/a
Inglaterra	inglés/esa	*el* Portugal	portugués/esa
Irlanda	irlandés/esa	Rusia	ruso/a
Italia	italiano/a	El Salvador	salvadoreño/a
Jamaica	jamaicano/a	Suecia	sueco/a
el Japón	japonés/esa	Suiza	suizo/a
el México	mexicano/a	Slovaquia	slovaco/a
Nicaragua	nicaragüense	Trinidad	trinitario/a
Noruega	noruego/a	Turquía	turco/a
Nueva Zelanda	neocelandés/esa	*el* Uruguay	uruguayo/a
el Pakistán	pakistani	Venezuela	venezolano/a

Grammar index

This index shows you where to look for help with grammar. The numbers after each entry tell you which section of the grammar reference gives information and examples. Additional practice is provided in the corresponding exercises on pages 187–98. The numbers in brackets indicate which pages of the Student's Book focus on a particular grammar point.

adjectives 3
  comparatives 6
  demonstrative adjectives 5
  possessive adjectives 4
  superlatives 7
adverbs 8
articles 2
conditional tense 35 (104–105)
dates 29
expressions with *tener, dar* and *hacer* 48
future tense 34 (104–105)
future with *ir a* + infinitive 34 (40)
imperative 41 (160)
imperfect tense 37 (80)
impersonal verbs 46
infinitive 31
interrogatives 10
irregular verbs 32 (25)
negatives 9
nouns 1
numbers
  cardinal 24
  ordinal 25
passive 43
past continuous 38 (81)
perfect tense 39 (144–45)
personal 'a' 12
pluperfect tense 40 (144–45)
prepositions 22
  por and *para* 23
present continuous 33 (25)
present tense 32 (24)
preterite tense 36 (64–65)
pronouns
  demonstrative pronouns 19
  direct object pronouns 16 (120)
  disjunctive pronouns 20 (121)
  indirect object pronouns 17 (120–21)
  possessive pronouns 18 (121)
  reflexive pronouns 14 (120)
  relative pronouns 21

subject pronouns 13
  tú and *usted* 15
radical-changing verbs 32 (24)
reflexive verbs 32 (25)
ser and *estar* 44 (25)
subjunctive 42 (161)
time expressions
  clock time 26
  days of the week 27
  months and seasons of the year 28
  other time expressions 30
verbs commonly used in the third person 45
verbs which take an infinitive 47 (41)
y and *o* 11